重曹生活のススメ

目次

読者のみなさまへ

重曹（ベーキングソーダ）――それはまさに「魔法の粉」です。

キッチンの油汚れやお風呂のカビ、トイレのしみなど、お掃除の分野でその威力を発揮するだけでなく、入浴剤や歯みがき、消臭剤にも使うことができるなど、計り知れないほどの可能性を秘めています。

また重曹は、お菓子やお料理にも、幅広く使われていますし、薬局では「胃ぐすり」としても売られているくらいですから、口に入れても安全。環境にもたいへんやさしい、貴重な物質と言えるでしょう。

私が、重曹のすばらしさを知るきっかけになったのは、今から7年前のこと。アメリカのカレン・ローガンさんが書いた『天使《エンジェル》は清《すが》しき家に舞い降りる』（集英社刊）という本に出会い、出版にたずさわったことでした。

その本には、主に重曹とビネガー、エッセンシャルオイルを使って、安心で簡単、家の中をきれいに、気持ちよくするためのノウハウが書かれていました。

本の出版をきっかけに、インターネットのサイト「地球に優しいお掃除」と、それを運営するボランティア組織「クリーン・プラネット・プロジェクト（CPP）」が誕生することになったのです。

このサイトでは、実際に重曹を使って生活をしている多くの方たちが、情報を交換し合って、より快適な生活を目ざしています。

クリーン・プラネット・プロジェクトでは、2年前に、重曹の幅広い使いみちを紹介した『魔法の粉 ベーキングソーダ（重曹）335の使い方』（飛鳥新社刊）の翻訳、さらに昨年には、『魔法の液体 ビネガー（お酢）278の使い方』（飛鳥新社刊）の編著訳にたずさわることになりました。

このときには、著者のヴィッキー・ランスキーさんをはじめ、重曹に詳しい研究者の方たちなどからも、さまざまなお話をうかがい、実際に試してみて、よりいっそう、重曹と、そのまわりの自然な素材の素晴らしさを知るにいたりました。

このような経緯から生まれたこの『重曹生活のススメ』では、より詳しく重曹の使い方を知りたいという方や、重曹の新しい使い方を知りたいという方のために、クリーン・プラネット・プロジェクトがあたためてきた、これまでのノウハウを体系化し、詳しく紹介していきたいと思っています。

重曹のみならず、重曹を中心とした安心な自然素材を使って、気持ちのいい「重曹生活」を送っていただけたら、こんなに嬉しいことはありません。

クリーン・プラネット・プロジェクト　岩尾明子

第1章 重曹生活をはじめるまえに

なぜ、重曹がいいの？

この本では、「重曹」（ベーキングソーダ）と、それを上手に取り入れた「重曹生活」＝「未来につながるナチュラル生活」について、ご紹介します。

「重曹？　そんなの見たことも聞いたこともない」「それがあれば、驚くほど楽に〝エコロジカルな暮らし〟ができるなんて、想像もつかない」と、おっしゃる読者の方も多いことでしょう。

でも、実は私たちは、ずっとむかしから、重曹のお世話になっているのです。なぜなら、いちばん身近に重曹がある場所は、なんと私たちの体の中なのですから。私たちの体の中では、自然に重曹がつくり出され、全身に配られています。

重曹は、正式の名前を「炭酸水素ナトリウム」（$NaHCO_3$）といいます。重曹には、水に溶けるといろいろなショックを吸収して、弱アルカリの環境をキープするという、やわらかい〝クッション〟のような働きがあり、それが私たちの体のコンディションを一定に保つのに、とても大事な役割を果たしているのです。

たとえば、血液や体液のペーハー（pH＝酸性、アルカリ性を示す数値）バランスをいつも弱アルカリに保ったり、胃液の酸を中和して潰瘍になるのを防いだり、唾液に含まれて口内細菌がつくり出す酸を中和したり、といったふうに、その働きは体全体に及びます。

もうひとつ、私たちの体以外に、重曹がたくさんある場所があります。それは、海です。

海水の中にも重曹がたっぷり溶けていて、地球が安定した状態を保つのに大きな助けになっています。

そもそも、大気中の二酸化炭素がいつも適度に海に吸収されることから、海水には重曹が含まれ、弱アルカリ性が保たれています。それは同時に、大気のバランスを保つことにもつながり、急激な気象変化をおこしにくいことを意味します。

また、陸上の生物（特に人間）の活動によって、河川からはさまざまな汚れが海に流れ込みますが、海水の中の重曹がそれを中和し、微生物たちが、より分解しやすい形にしてくれるのです。

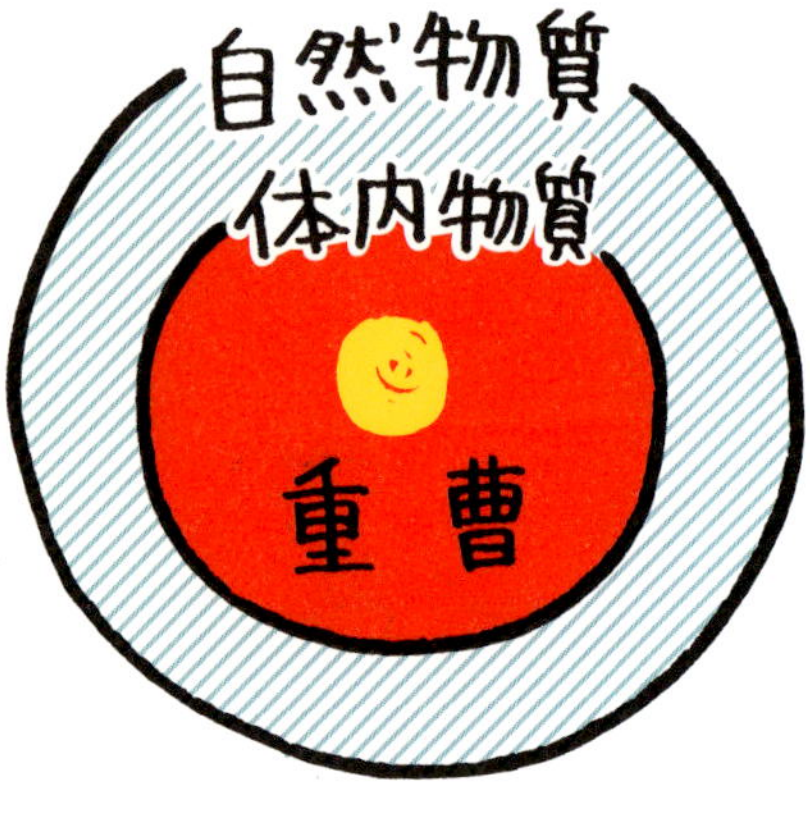

簡単にいうと「重曹生活」というのは、私たちの体や海が日々行っているこの自然なやり方を、一部ですが、「そっくりマネしましょう」ということなのです。

体や海は、ある程度ダメージを受けても、いつのまにか、もとの「元気」や「きれい」を取りもどします。それは、自分で回復する力を持っているということです。そのカギとなっている物質のひとつが、この「重曹」なのです。

ところで、みなさんは、「生命が活動する」とはどういうことだと思いますか。生きていれば、なにか食べるし運動もするし、疲れたり汗をかいたりしますね。

生命活動とは、見方を変えると、「使い終わった要らないもの」をつくり出すことです。これを疲労物質や老廃物と呼びますが、重曹にはそういった自然の「汚れ」をやさしく中和して分解する力があるのです。

重曹が、私たちの体や海を守るクッションになっているのは、そういう働きがあるからです。

そこで、その重曹の〝汚れを中和して分解する力〟を、うまく私たちの暮らしにも取り入れれば、身のまわりのいろんなものを、自然なやり方で、もとのきれいな状態にもどせるようになるでしょう、ということなのです。

「なるほど」と思っていただければ、それが、ゆったり楽々「重曹生活」への第一歩。なんだかこれから暮らしが楽しくなりそうな予感がしませんか。

重曹生活をはじめると、なにが変わるの？

ひとことでいうと、家事《ハウスキーピング》が楽しくなります。今までいちばんキライで、できるだけ後回しにしていたことなのに?!

これまで私たちは、いろいろな合成化学物質の力を借りて、なんとか身のまわりの汚れを取りのぞきながら暮らしてきました。

家の中は、キッチン用、リビング用、トイレ用、バスルーム用などなど、用途別の洗剤がいっぱい並ぶ状態。

それでも、いつもピカピカにするなんておっくうで、いくらなんでも放っておけないほど汚くなるまで見て見ぬふり。年末の大掃除シーズンになってからイヤイヤお掃除——。

というのが、よくあるパターンなのではないでしょうか。

でも、重曹をベースに家事を始めると、「汚れ」は、コワいものでも逃げるものでもないということがわかってきます。なぜなら汚れは、私たち人間が生命活動を営んでいるという証拠であり、その汚れを引き受けている家も、ある意味、生きている私たち自身といえるからです。

つまり、体の中でいつも重曹が働いてくれているように、家の中も、いつも重曹で、お手入れすればいいということです。

家事をすることは、にっくき汚れを、敵として倒すことではありません。重曹を使って家事をすれば、「体の中の弱った部分をいたわってケアしてあげるように、家の中もケアしてあげる」、そんな気持ちになることでしょう。

そうしたら、「汚れは早め早めのお手当が肝心、すぐにケアしてあげ

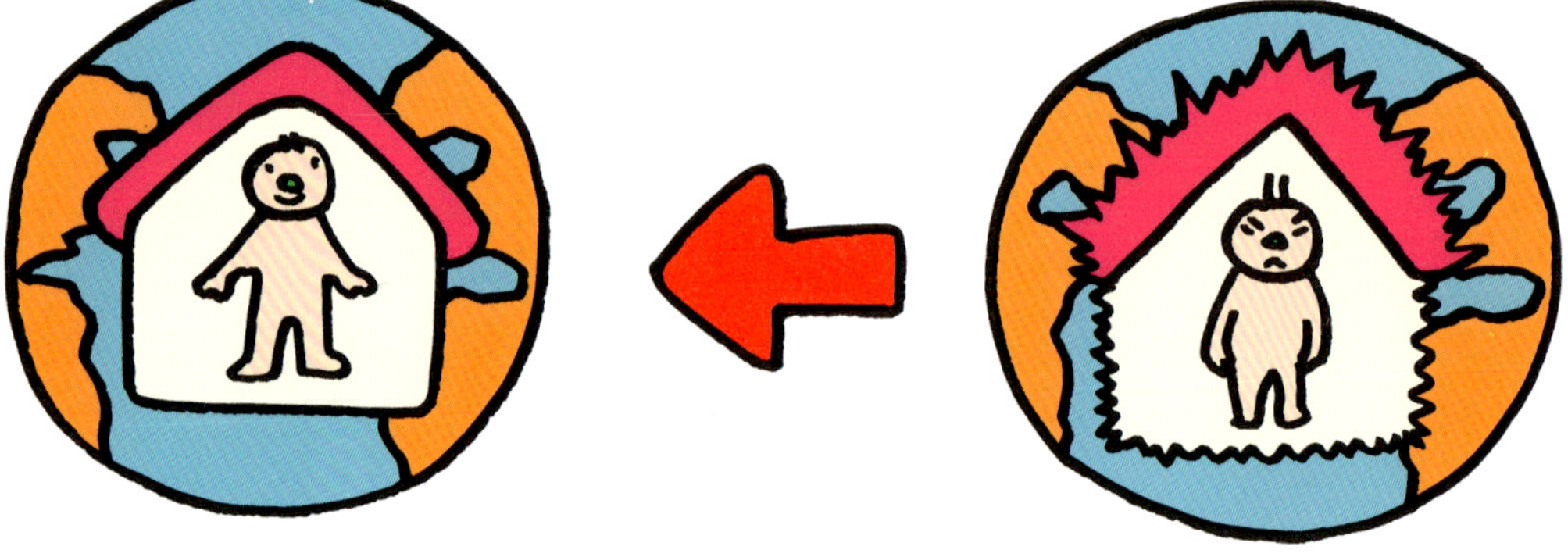

れば、調子の悪いところも軽いうちに治せるはず」、という考えに、いつのまにか変わっていくのではないでしょうか。

重曹生活のもうひとつの魅力は、とにかく気が楽だということです。家族にも、どんどん掃除に参加してもらえます。キッチンの油汚れは、力を入れなくてもツルンと落ちるし、バスルームだって、入浴剤と同じ素材でお掃除できる。ハイハイしながら、なんでも口に入れる赤ちゃんのまわりだって安心掃除。同じ素材で、おむつかぶれのおしりもケアできてしまいます。そのうえ、歯みがきに使ってあまったものは、お洗濯のしみ抜きにも使えます。

こんなふうに、どんどん「いっしょ」と「ついで」が増えるのです。そうやって重曹生活をつづけていけば、家事の材料や道具も整理されていきます。しまいには重曹と、重曹とともに働く、いくつかの自然な材料があれば、お掃除には十分だという、大きな自信を持つことができるでしょう。

また重曹生活を始めると、汚れがたまりにくくなってきます。雑菌やカビなどの汚れがたまると、それらは〝怪物〟に変わってしまいます。そうなると、重曹のようにおだやかな、体の中にある物質だけでは落とせないことがしばしばあります。それはもはや、強力な〝お薬〟が必要な状態と同じことになってしまうのです。でも、この生活を続けていけば、そんな必要はなくなります。

排水口から流れ去っていく重曹を見ていると、「ああ、この重曹たちは、この先もパイプを通って、まわりをきれいにしながら、ふるさとの海に帰っていくんだな」といとおしい気持ちになってきます。

家事を真ん中にして、地球と私たちの間に、いつまでも循環するまるい環ができること、これも、重曹生活の嬉しいことのひとつです。

重曹のほかには、なにが必要なの？

ここまで読んで、すぐにでも重曹生活を始めてみたいと思った方も多いことでしょう。でも、その前に、左の「重曹生活・素《ス》タイル」を見てください。

これは、ひとつのタイルがひとつの自然素材をあらわし、全体が、重曹生活の理想のスタイルをあらわしています。

タイルのはまる場所や面積は、それぞれの素材の生活の中での位置づけや、使用量をあらわします。

これまでお話ししてきた重曹は、いちばん下のいちばん大きなタイルになっています。でも、その量は全体の半分です。

これでわかるように、重曹は確かにすべての家事の土台になりますし、いろいろな働きを持っていて広い範囲に使用できます。しかし、それだけでは、パーフェクトな重曹生活を送ることはできないのです。

そこでまず、重曹を使うのが初めてという人には、「重曹」（ベーキングソーダ）の他に「ビネガー」（お酢）、そして「石けん」を合わせた3つのタイル（素材）をそろえることをおすすめします。

重曹が利き腕の右手だとすると、ビネガーは、それをしっかりサポートする力強い左手、つまりパートナーのような役割を果たします。

「重曹でお掃除、ビネガーで仕上げリンス」。このツーステップを、ぜひ最初に覚えてください。

また、重曹では落とせない、水アカやトイレの黄ばみといった結晶性の汚れには、ビネガーが、重曹の先に立って、お掃除の準備を進めてくれます。

いっぽう石けんは、重曹のたいせつな友だちです。

重曹が単独でせっせと汚れを中和しているとき、大きな汚れを包み込んで、浮かしてくれる石けんがいっしょにあれば、どんなに能率的でしょう。

そして、重曹と石けんが協力して働きを終えたあと、ビネガーで仕上げのリンスをすれば、あっというまに重曹と石けんも分解してすぐことができます。

このように、それぞれが助け合いながら力を発揮できるのも、自然の素材同士だからこそ。しかも石けんは、ビネガーでリンスすれば、肌や布の上で最後のうるおいに変身するという、私たちにとって申し分のない、ハッピーエンドまでついています。

重曹生活をするうえで、本当に3つのタイルが必要なの？　と迷うときは、このみごとなワルツのことを思い出してください。

なお、この3つのタイルは、使い方が簡単なうえに安心な素材ですから、2、3歳の小さな子どもでも、安心して使うことができます。お子さんといっしょにお風呂の掃除をするなど、楽しい機会も生まれるのではないでしょうか。

次に、多少重曹生活に慣れてきたら、「エッセンシャルオイル」や「ハーブ」に代表される〝植物化学成分《フィトケミカル》〟のタイルをそろえましょう。

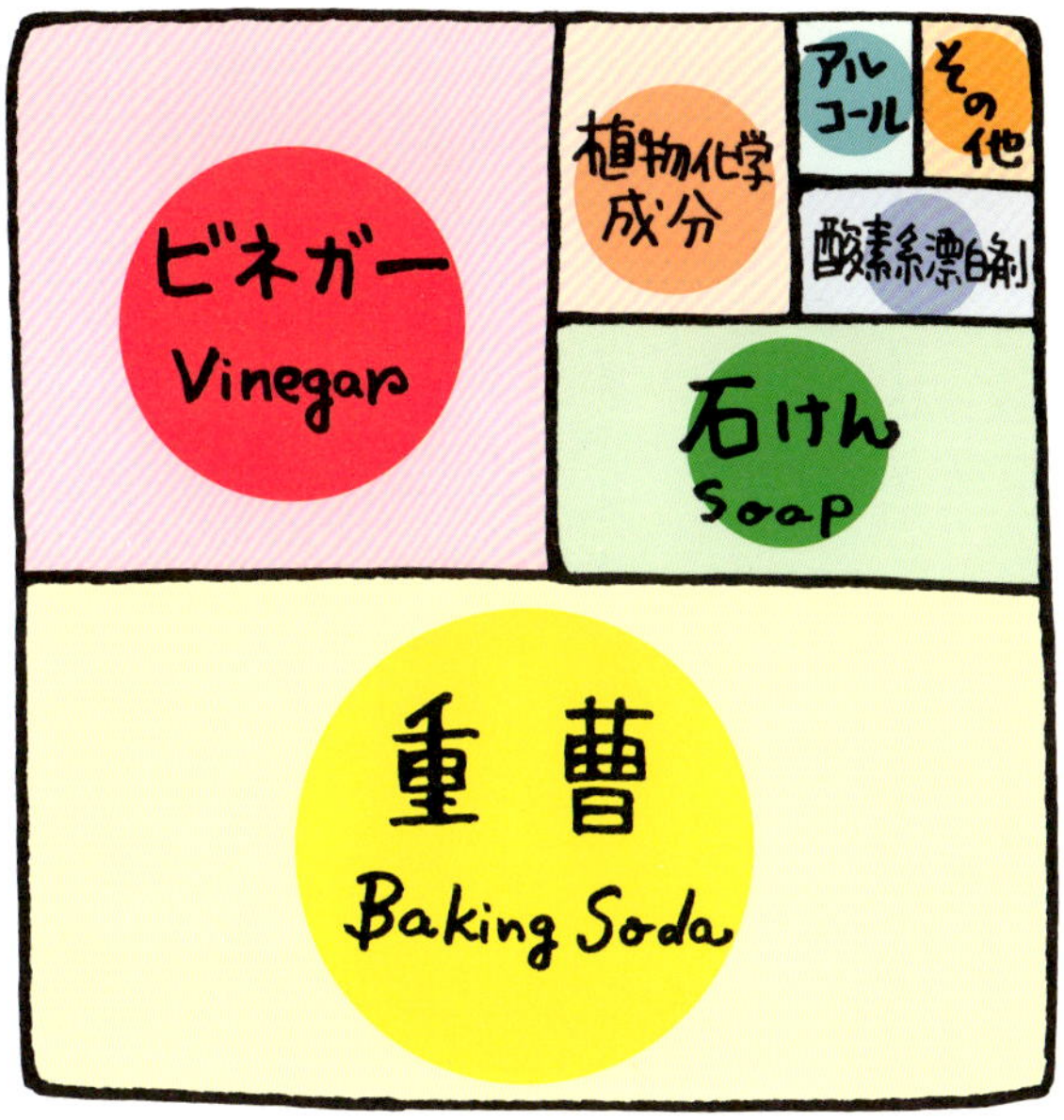

重曹生活・素《す》タイル

このタイルは、面積こそ小さいものの、重曹やビネガー、石けんといったシンプルな素材に、自然の特別な力を与えてくれます。

たとえば、前の3つの大きなタイルには、「清潔にする力」はありますが、虫を防いだり、雑菌やばい菌を殺したり、私たちの心身を癒したりする力はそれほどありません。

でも、この素材が少々加わると、虫やばい菌を、しっかりコントロールしてくれます。そのうえ、私たち自身の抵抗力も、強くしてくれるのです。

このほか、そろえると役に立つ、自然な素材には、活性酸素の力を重曹生活に取り入れる「酸素系漂白剤」のタイル、さらにエタノールやグリセリンといったアルコール類の力を取り入れる「アルコール」のタイルがあります。

「酸素系漂白剤」は、それまで集めたどのタイルにもない性質があります（※「塩素系漂白剤」とは、まったく違うものです。詳しくは88ページ参照）。

酸素の力で、どうしてもきれいにできなかった雑菌やカビ、しみ汚れの色素などを分子のレベルで壊す力です。

殺菌や漂白をする際には、こういった強い力を持つ素材が必要な場合もあるかもしれません。

ただこれは、重曹生活を上手に送れるようになれば、めったに使わなくてもいい素材です。最後の切り札、ジョーカーのようなもの。強力な素材ですから、お子さんにはさわらせないようにしましょう。肌の弱い人は手袋をしてください。

「アルコール」にも、殺菌や汚れ落としなどの便利な性質があります。重曹生活が軌道に乗ったら補助的に試してみて、気に入ったら少しずつ取り入れるといいでしょう。

最後の「その他」のタイルは、あなたの好きな素材をどうぞ。

ここでは詳しく案内することができませんが、自然な素材で重曹生活を楽しくしてくれるものはたくさんあります。

たとえばクレイ、炭、塩、にがりなどの自然素材は、どれも重曹生活となじみ、自然のもの同士の相性の良さがあります。

さあ、どのタイルから集めたらいいか、あなたにとって必要な素材の順番を整理してください。この組み合わせがうまくいけば、きっと毎日が驚きの連続、楽しい発見の連続になるでしょう。

「重曹生活・素《す》タイル」は、あなたの羅針盤となってくれるはずです。

「汚れ」に対する考え方を変えましょう

重曹生活の全体像がわかったら、必要な「素《ス》タイル」を集めてさっそく船出しましょう！

……とはいうものの、もしあなたが、これまで用途別に洗剤を使い、マニュアルに頼りきりだったならば、この地図のない重曹生活に、多少のためらいを感じるかもしれません。

そこで、これから、あなたが重曹生活をするうえで、とても役立つ、目からウロコなお話をしましょう。

左下にあるマトリックス（図）を見てください。

これは、「重曹」「ビネガー」「石けん」、さらに「（油脂を含めた）汚れ」との関係を表したものです。

この関係を、よりくわしく知るために、

「重曹（と石けん）でお掃除、ビネガーでリンス」

はじめは、そう覚えてみてください。

まずマトリックスでは、重曹と相互作用のある、3つの矢印に注目してください。

ひとつは、重曹と助け合って働く石けんとの、「親和」の関係をあらわす矢印。

もうひとつは、重曹とは逆の酸の世界に属するビネガーとの「中和」の矢印。

最後のひとつは、ふたつめと同じ、重曹と「中和」する〔汚れ〕との矢印です。

これを見ると、お掃除するということは、重曹や石けんを含む「アルカリの世界」が、〔汚れ〕の属する「酸の世界」を打ち消す（＝中和）ことだということがわかります。

リンスに使うビネガーは、〔汚れ〕と同じ「酸の世界」に属しています。重曹や石けんは、ビネガーに出会うと中和され、お掃除の役目を果たせなくなります。

でも、それでいいのです。

リンスというのは、もともと「すすぐ」という意味ですから、お掃除が終わったあとに残っている、よぶんな「アルカリの世界」を打ち消すことが、ほんとうによく「すすぐ」ことになるからです。

これまで、読者のみなさんは、お掃除することとリンスすることを、まったく別のことのようにとらえられていたかもしれません。

しかし、じつは、まったく同じ、アルカリと酸の「中和」という作用を利用しています。

ただ、重曹や石けんの相手が、取りのぞきたい〔汚れ〕のときは「お掃除」、きれいな「ビネガー」のときには「リンス」と呼びわけているのです。

重曹生活ではこんなふうに、体験を重ねるにつれ、「ああ、そういうことか」と、自然にわかることがふえてきます。

もうひとつ、目からウロコなのは、ビネガーと油脂との関係です。

ビネガーのイメージは、さらさらした液体ですし、もういっぽうの油脂は、バターやサラダ油のようにベトベトしたイメージです。

まったく違うもの同士に見えるのに、この表でふたつは、「親和」の矢印で結ばれています。

じつは、ビネガーと油は親戚のようなものなのです。

ご存じのようにビネガーは、酢酸に代表されるように、すっぱい性質を持つ「酸」です。

この酸と油の関係を簡単に言えば、酸には炭素の鎖があり、それがずっと長くなったり、複雑な形になったりすると、お酢（酸）というより「油」の性質が出てきます。

ですから、サラダ油などのボトルも、よく見ると、成分のところには〝オレイン酸〟や〝リノール酸〟など、油なのに「酸」と表示してあったりします。

同じファミリーなので、お酢と油のドレッシングは、よくふると混ざり合って（＝親和して）くれるのです。

さらに、その油をお料理に使ったり、美容などに使ったりすると、しばらくして酸化したり、ほこりやアカなどが含まれてきたりします。

それが、私たちが身のまわりで出会う、もっとも一般的な、水では落ちない〔汚れ〕と呼ばれるものの正体です。


このように、〔汚れ〕が、重曹やビネガー、石けんにとってどう位置づけられるかを知ることで、お掃除に対する考え方も変わってくるのではないかと思います。

重曹生活は、とてもシンプルです。

この、たった4つの要素からなる作用を細やかにあやつって、どんなことでもできてしまう新しい家事の世界へ、あなたも自由に漕《こ》ぎ出してみてください。

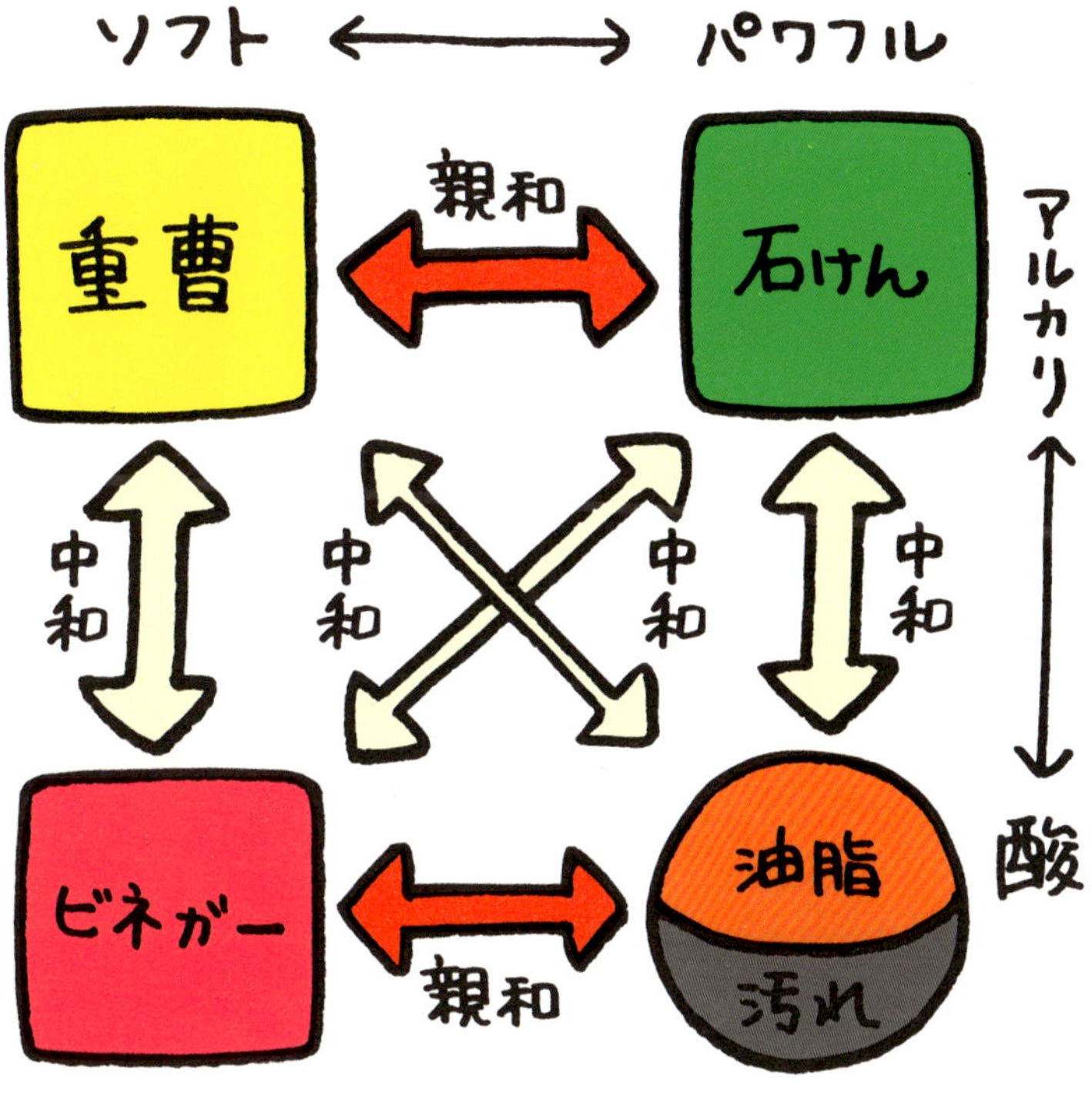

かご¥1,155、重曹をいれたキャニスター¥1,575、鳥のオブジェ参考商品［以上キャトル・セゾン・トキオ］／麻のふきん¥735、犬の置物¥7,140［以上アイ・スタイラーズ南青山本店］／ブラシ¥630［リビング・モティーフ］

第2章
さあ、重曹生活をはじめましょう

重曹をベースにして、ビネガーや石けんを上手に組み合わせたお掃除法――。

それは、想像以上に安心で、気持ちのいいものです。

まずは、それぞれの生活の場に合った基本セットを用意し、上手に使いこなせるようにしましょう。

毎日、習慣にすれば、大掃除の必要はありません。

さあ、基本の道具（ツール）をそろえましょう！

重曹生活を支える、地球に優しい仲間たち

この本では、重曹を、暮らしの中でどのように使うかについて、さまざまな例をあげてご紹介していきます。
ベースとなるセットはとてもシンプルですが、それぞれいく通りもの使い方ができます。
上手に組み合わせれば、ますます使い道が広がる、厳選されたアイテムばかりです。
おけいこのセットをそろえるように、まずは、一つひとつの材料と道具を吟味《ぎんみ》して、あなたが使いやすく、気持ちのよいものをそろえていきましょう。

★チェックリスト
- □ ❶重曹のシェーカーボトル
- □ ❷香りつきビネガー水のスプレーボトル
- □ ❸液体石けんのポンプボトル

❶重曹のシェーカーボトル

買ってきた重曹を、このような「ふりかけ容器」に移しかえ、いつでもサッと手にとって、好きな量だけ出しやすいように準備しておきます。

シュガーボトルやコショウなどのふりかけ容器で、手になじんで持ちやすいものを探しましょう。

材質は、ガラスかプラスティックのものを。

アルミ製のものは、重曹でアルミが変色するおそれがありますので、避けてください。

このボトルを使えば、重曹をそのままふりかけて研磨したり、消臭したりすることができます。

また、この重曹で、重曹水や重曹ペーストを作ったりすることもできます。

❷香りつきビネガー水のスプレーボトル

2％前後の酸濃度に希釈《きしゃく》した（うすめた）ビネガー水を入れておきます（21ページ参照）。

重曹や石けんを中和してすすぐ、リンスの役割（詳しくは80～82ページ参照）のほか、このビネガー水だけで、軽い拭き掃除や消臭、抗菌をすることができます。

あらかじめ、もとのビネガーに「ラベンダー」などのハーブを漬けこむか（21ページ参照）、ビネガー水のボトルにエッセンシャルオイルを数滴入れて、よい香りをなじませて使います。

こうすると、すっぱいにおいが緩和されて、使い心地がとてもよくなります。

そのうえ、ビネガーだけでは得られない、殺菌や防虫などの植物のすぐれた薬効も、取り入れることができます。

ボトルは、300㎖前後の、あまり容量が多くないもののほうが、スプレーしていて手が疲れません。

ななめにして、最後まで使い切れる形かどうか、ボトル底面やノズルの長さなどにも注意してください。

また、ビネガーの酸や、エッセンシャルオイルの油に強い材質かどうかも、要チェックです。

❸液体石けんのポンプボトル

純粋な石けん分と水分からなる、液体石けんを入れておきます。

液体の合成洗剤とはまったく異なるものなので注意して

ください。固形石けんや、粉石けんを溶かしたものはOKです（石けんの詳しいことは83～84ページ参照）。

石けんと重曹は、いっしょに使うと、いろいろな面で相乗効果があります。

たとえば油汚れなど、重曹だけでは時間も量もたくさん必要になってしまうときに、石けんが心強い助けになります。

逆に、洗濯のときなどには、重曹が石けんの縁の下の力持ちになります。ですから石けんは、重曹生活の大切なアイテム仲間のひとつです。

ボトルはポンプ式か、ピュッと押し出せるスコート式のもの、あるいははじめから泡になって出てくるフォームボトルも使いやすいでしょう。

ほかに**拭きとり用の布**、**やわらかいスポンジ**や**タワシ**をひとつのカゴにセットして、家中どこでも持っていけるように準備しておきます。

★こんな方法もあります

お掃除ウエスタン！ 装着して使いやすい、基本ツールセット

基本ツールセットは、ボトル類の大きさや重さに注意してそろえると、身につけて、どこでも便利に使える装着セットになります。

いざ作業を始めると、ボトルなどを置き忘れて探しまわることは多いもの。

装着セットは、西部劇のガンマンのように、いつもボトルが定位置にスポッともどるため、身動きは自由自在です。

写真は、かわいいカフェエプロンに、基本セットを詰めてみました。

ほかにも、ガーデニング用のエプロンに、ポケットやフックなどがたくさんあって装着しやすい、すぐれものがあります。家族一人ひとりに、ボトルをセットしたマイエプロンがあっても楽しいですね。

いらなくなったTシャツなどにポケットをぬいつけて、お掃除服にするのも実用的です。

それでは、「重曹」「ビネガー」「石けん」の準備をしましょう！

ここでは、使用頻度の高い「重曹」「ビネガー」「石けん」を中心にご紹介します。

重曹の準備

〈主な重曹〉

インターネットで販売されている 2kg入りの食用重曹

チャックつきスタンディングパックに入っています。シェーカーボトルなどに詰めかえて使います。

店頭販売されている 340g入りの食用重曹

そのままふりかけて使えるように、シェーカーボトルに入っています。

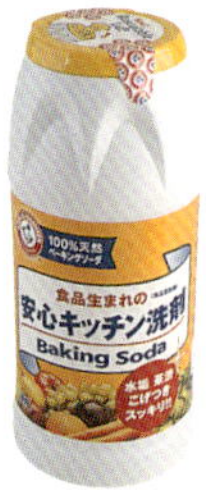

重曹は、白い粉状の結晶を、そのままお店などで買うことができます。

薬局、ホームセンター、大きめのスーパー、ネットショップなどで、300g～2kgくらいのものまで、いろいろなタイプのものが販売されています。

重曹には薬用、食用、工業用の3つのグレードがありますが（詳しくは78～79ページ参照）、この本の内容にそって使う場合には、薬用か食用の重曹を選んでください。

重曹──基本の使い方

①「粉」で使う

重曹を、湿らせた布やスポンジに軽くふりかけて使います。

または、写真のようなシェーカーボトルから、必要なポイントに直接ふりかけます。

②「重曹水」で使う

重曹を水に溶いたものを「重曹水」と呼びます。

8％の濃度まで、用途に応じて溶いて使うことができます。まずカップ１杯の水（約200cc）に、小さじすりきり2～3杯の重曹を溶かしてみましょう（これで、だいたい3～4％の重曹濃度です）。

写真のように、スプレーボトルに入れ、必要なポイントに吹きかけます。また重曹を、水の入った大きな容器に溶かすなどして使います。

③「重曹ペースト」で使う

重曹に、少しずつ水を加えて湿らせ、そのまま練ると、しっとりしたペースト状に変わります。これを「重曹ペースト」と呼びます。

水の代わりに、「液体石けん」や「グリセリン」（87ページ参照）などの別の液体を加えて、特別な重曹ペーストを作ることもできます。

①

②

③

ビネガー（お酢）の準備

ビネガー（お酢）は、酸濃度が4～5％の「**ビネガー**」と、酸濃度が2％前後の「**ビネガー水**」、さらに「ビネガー」や「ビネガー水」に、ハーブやエッセンシャルオイルなどで香りをつけた「**香りつきビネガー**」「**香りつきビネガー水**」の4つが、基本のアイテムとなります。

香りをつけない「ビネガー」の場合、市販のものでいちばん簡単に手に入るのは、スーパーなどで買える穀物酢です。

また、この「ビネガー」を、水でうすめて、酸濃度を2％前後にしたものが「ビネガー水」です。

一方、「香りつきビネガー」や、「香りつきビネガー水」を作るには、次のふたつの方法があります。

①「ビネガー」にハーブを漬けて、香りと成分を移してから使う

写真は、市販のビネガー（500cc）に、可食用ラベンダーの花（大さじ1）を漬けたものです。この「ラベンダービネガー」は、漬けて2～3日で美しいピンク色の液体に変わります。

②「ビネガー」や「ビネガー水」にエッセンシャルオイルの香りと、成分を与えて使う

1％以内の滴下量で十分な効果が得られます。たとえばカップ1杯（200cc）のビネガーに対して、エッセンシャルオイルは8滴以内です。量が多くても効果が強くなるものではないので、基準量を守りましょう。

①

②

ビネガー（お酢）──基本の使い方

①「ビネガー」で使う

約4～5％の酸濃度のビネガーを使います。

スプレーボトルに入れて、直接吹きかけたり、キッチンペーパーやトイレットペーパーなどに含ませて使います。

②「ビネガー水」で使う

ビネガーを2～3倍の水でうすめ、2％前後の酸濃度にしたものを「ビネガー水」と呼びます。

スプレーボトルに入れて直接吹きかけたり、布やキッチンペーパーなどに含ませて使います。

③「クエン酸水」を使う

クエン酸を使えば、濃い酸濃度の水溶液を安全に作ることができます。また酸が揮発（常温で、液体が気体に変わること）しないので、においがありません（詳しくは80ページの表参照）。

こういった性質が、通常のビネガーよりも有利なことがあります。この場合、クエン酸を水で溶かして「クエン酸水（溶液）」を作ります。

たとえば、カップ1杯（200cc）の水に、小さじすりきり2杯のクエン酸を溶かすと約5％の酸濃度の、また、小さじすりきり1杯のクエン酸を溶かすと、約2％の酸濃度のクエン酸水ができます。

クエン酸は、薬局や食材専門店などで扱っています。

①

②

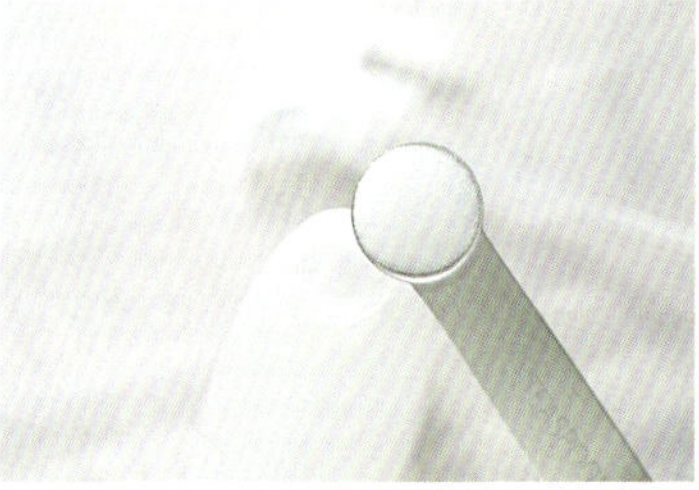

③

石けんの準備

この本での「石けん」は、基本的に「液体石けん」を使います。混ぜたり、溶かしたりしやすいためです。

まず、純粋な石けん分と水分でできた、シンプルな液体石けんを手に入れてください。

主に掃除洗濯に使う「住居用」と、髪や体に使う「化粧用」があります。どちらもそろえましょう。

大きめのホームセンターや自然雑貨店、薬局、生協、ネットショップなどで販売されています。

液体石けんは、その場の用途や使う量によって、写真のようなポンプボトルか、はじめから、泡状態で出てくる、フォームボトルに入れて使います。

Tシャツ参考商品、エプロン¥4,410、重曹をいれたキャニスター¥1,575、白いなべ¥6,090、黒いなべ¥3,990［以上キャトル・セゾン・トキオ］／モデルが持っているキッチンツール¥420、ドレッシング各参考商品、プチトマトの下のカッティングボード¥3570、ステンレス鍋¥4,725［以上 私の部屋 自由が丘店］／おひつ¥31,500［アイ・スタイラーズ南青山本店］／白のボウル¥2835、ブラシ¥630、なべつかみ¥1260、まな板¥2730、正方形マット¥2100［以上リビング・モティーフ］

キッチン

換気扇やガスレンジなど、キッチンは、油汚れが気になるもの。
また、生ゴミなどの臭いに苦労される方も多いことでしょう。
ところが、重曹があれば、それらの悩みは一気に解決します。
これまで、時間や手間をかけたことがなんだったのかと思えるほどに、
「簡単」で「安心」なのが、ここでご紹介する方法です。

油汚れが、時間をかけずにみるみる落ちる……

キッチン
――基本のツールセットとお手入れの方法

では、最初にキッチンの「ナチュラルクリーニング」に役立つ、基本のツールセットをそろえましょう。

★チェックリスト

- □ ❶重曹のシェーカーボトル
- □ ❷香りつきビネガー水のスプレーボトル
- □ ❸ビネガー水のスプレーボトル
- □ ❹重曹水のスプレーボトル
- □ ❺液体石けんのポンプボトル
- □ ❻ハーブやエッセンシャルオイル

❶重曹のシェーカーボトル

粉の重曹を入れておきます。そのままふりかけて、研磨用のクレンザーや消臭剤にするほか、「重曹水」を作ったり、「重曹ペースト」を作ったりするときにも、この中の粉を使って作ります。

もちろん、お料理の下ごしらえや、飲み物作りにも利用できます（必ず食用グレード以上の重曹を使ってください）。

❷香りつきビネガー水のスプレーボトル

ハーブやエッセンシャルオイルなどで「香りをつけたビネガー水」を入れておきます。

重曹や石けんを中和したり、簡単な拭き掃除、消臭や抗菌にも使います。

2％前後の酸濃度（21ページ参照）になるよう、水でうすめてください。

❸ビネガー水のスプレーボトル

このボトルの「ビネガー水」には、あえて香りをつけず、乾燥後はなにも残らないようにします。

なるべく、穀物酢などの、水以外は酢酸が主な成分を占めるようなシンプルなビネガーを使ってください。

酸濃度は、香りつきビネガー水と同様、2％前後に調整します。

❹重曹水のスプレーボトル

1％前後（400ccの水に小さじすりきり1の重曹）の「重曹水」を入れておきます。

広くうすく重曹をまきたいときや、熱のある調理器具などに使います。

重曹水は、乾くとザラザラした粉の重曹にもどってしまいます。ノズルや噴き出し口の目詰まりが心配な場合には、ふだんは空ボトルの状態で置き、必要になったときに、その都度サッと作って使いきってもよいでしょう。

❺液体石けんのポンプボトル

キッチン用の液体石けんを入れておきます。石けん単独で使ったり、重曹といっしょに使ったりと大活躍。固形石けんや粉石けんを溶かしたものでもかまいません。

とろみや泡立ちは、それぞれの石けん水で異なるので、自分の使いやすいものを探してみることをおすすめします。

❻ハーブやエッセンシャルオイル

ハーブやエッセンシャルオイルは、暮らしの中に、さりげなく、強い抗菌・防虫効果をもたらしてくれます。

さらに、植物の自然でやさしい香りはお掃除を楽しくし、いつのまにかキッチンを癒しの場に変えてくれます。

レモンやミント、ラベンダーなどキッチンになじむハーブを用意しましょう。

エッセンシャルオイルは、ビネガーだけでなく、重曹にも簡単に香りづけできます（詳しくは85ページを参照）。

ほかにそろえるとよいものには、**クエン酸**、**酸素系漂白剤**、**やわらかいスポンジ**や**タワシ**があります。

換気扇

①細かく入り組んだ構造の換気扇ファンは、**重曹ペースト**や、以下に紹介する、**クリームクレンザー**でお掃除を。

汚れの分解具合を見ながら、**5分～1時間程度パック**してください。乾燥しないようにラップなどをかけておくのもいいでしょう。

金属ファンなら、次のページでご紹介する、ガスレンジの部品のように**重曹水で煮沸**できる場合もあります。

でも、たいていどこの家でも、換気扇をはずすと、強制換気できなくなってしまいます。そのため、沸騰している間に、これまでの汚れを含んだ蒸気が、かえって家の中をいぶしてしまうおそれもあります。

ひどく汚れている換気扇まわりほど、この**パック作戦**がおすすめです。

②仕上げに、ビネガー水をゆっくりスプレーしてシュワシュワさせてやると、すすぎ終わるまでに、その泡がすみずみの汚れ落としに一役買ってくれます。

落としきれなかったところだけ、綿棒などに**重曹の粉**を少しつけてみがき、**ビネガー水**を吹きかけてリンスしましょう。

このようにして、1シーズンに1度くらい、気がついたときにケアしておくだけで、掃除にはらう時間と労力は、年に一度、まとめて大掃除するよりぐっと少なくなります。

何より、換気扇の掃除がコワくなくなるのがミソです。

①

②

重曹と石けんの相乗効果で、
驚くほどの汚れ落ち!

クリームクレンザーの作り方

[材料]
- 重曹……1カップ
- 液体石けん……50cc
- ビネガー……15cc(大さじ1杯)
- エッセンシャルオイル(「ティーツリー」のほか、お好みのもの)……10滴

[作り方]

1　ボウルに、重曹と液体石けんを入れ、よく混ぜ合わせます。

この段階では、サラサラの重曹が石けんの水分で少ししっとりし、手で握るとかたまるけれど、そのかたまりを押すとすぐホロホロ崩れるくらいの感じでOKです。

液体石けんを入れすぎてドロドロにしないでください(クッキーやパイの生地をつくるときの、最初に冷たいバターをもみ込んでほぐした小麦粉の感触を思い出してください)。

2　ビネガーをふりかけ、かき混ぜます。

かき混ぜていると、数秒後にフッと混ぜる手が軽くなります。

重曹とビネガーが反応することで、クレンザーの中の重曹は、よりきめこまかい粒子になり、発生した水と二酸化炭素が、生地を軽く、ふわふわに変えてくれます。

クレンザーは、ホイップクリームそっくりに仕上がります。

3　エッセンシャルオイルを加え、よく混ぜます。

好みや目的に応じて、クレンザーの作り方を、いろいろと工夫してみましょう。

たとえば、バスルーム用なら「ティーツリー」で強力殺菌パワーのクリームクレンザーを完成させ、お掃除がカビ予防を兼ねるようにするなど。

すすぎのときは、ビネガー水をスプレーし、クレンザーが中和したところを拭き取りましょう。後片づけが、とても簡単になります。

ジャムビンなどの密閉できる容器に入れて保存すると、クリームがかたくならず、比較的長く保存できますが、だいたい1週間をめどに使いきれる分量で作ってください。

ガスレンジ

①**ガスバーナーのキャップやごとく**、**汁受け**などは、調理の汚れがすぐに炎で乾燥して、こびりつきやすい部品です。

その代わり、水にも火にも強い素材でできていますから、ふだんは**重曹水**と**ビネガー水**をスプレーして、手軽にケアをしておき、たまにまとめて**重曹水**で煮て漬け置くだけで、お手入れはとても楽になります。

大きめのなべ（アルミ製は避けてください）に1％程度の重曹を溶き、火にかけます。

クエン酸や酒石酸（80～81ページ参照）など、揮発しにくいビネガー類をひとつまみ入れておくと、より汚れの分解が進みます。レモンの輪切りを1枚入れてもいいでしょう。

煮立ったら火を止め、そのままゆっくり冷まします。

②調理後の、まだあたたかい**レンジ台**には、**重曹水**か**ビネガー水**をすばやくスプレーします。

重曹水は、飛び散り油の分解にすぐれ、**こびりつき汚れ**のお掃除や、**消臭効果**も抜群ですが、乾燥後に白い粉が浮いてきます。

このような粉は、ビネガー水で中和し、拭きとると、あと片づけが簡単です。

またビネガー水は、汚れ全般に浸透し、はがす効果があるので、全体に広くうすくスプレーし、サッと一度拭きするのに向いています。

さらに、**香りつきビネガー水**なら、消臭しながらキッチンに良い香りをただよわせることができます。

このケアは、レンジ台の「温度」を利用するので、重曹水でも高い効果があります。

①

②

排水口

出かける前や寝る前には、**キッチンの排水口**に**重曹の粉**をふり入れておくようにしましょう。

重曹には、パイプの中の**汚れ**と、**においを分解する**働きだけでなく、雑菌を抑えるおだやかな**制菌作用**もあります。

こまめにクズ受けをキレイにする習慣があれば、ふだんの排水口ケアは、ほとんどこれだけで十分です。

汚れのひどいときには、**重曹に、あたためたビネガーを注いで**シュワシュワのパイプクリーニングを行います（44ページ参照）。

シンク

シンクにかぎらず**ステンレス製のもの**は、重曹でとても清潔になります。

重曹の粉をシンクにふりかけ、少し湿らせたソフトな布、スポンジ、アクリルタワシなどでみがきます。

一度きれいにすれば、日常のお手入れは、洗いおけの中の重曹水や、食器洗い機などで使った重曹水を流すときに、ついでにみがくだけで十分です。

グリル

魚焼きグリルには、底面が隠れるくらい**重曹の粉**をしきつめます。

ふだんは焼き網を洗うだけ。グリルで下に落ちた油などの汚れは、重曹でかためられるため、においもなく、はしでつまんで捨てることができます。

重曹は、消火剤の原料になっているほど、燃えない物質です。少しずつつぎたしながら、何度も調理に使いましょう。

重曹が真っ黒になってきたら、生ゴミの消臭（29ページ参照）やシンク掃除に使いましょう。

食器洗い機

①**専用洗剤の代わり**に、大さじ2杯程度の**重曹の粉**を洗剤ポケットに入れます。

和食中心で、油ものの少ないメニューなら、ほぼこれで完全にきれいになります。

ギトギトのお皿は、へらなどである程度汚れをこそげ落とし、**重曹の粉**をふりかけて汚れをふやかしてから、そのまま食器洗い機にセットします。そうすれば、ふりかけた重曹も洗浄の助けになります。

食器の消毒を兼ねる場合は、**酸素系漂白剤**（89ページ参照）をさらに大さじ1杯、洗剤ポケットに加えます。

②**グラスや金属のなべをピカピカに洗い上げたいとき**、また、**魚料理で使ったなべや皿**のにおいをとりたいときには、**ビネガー**を洗剤ポケットに入れて洗浄するか、リンスポケットに入れてすすぎに用います。

ビネガーには、重曹ではとれない**水アカやサビをとる力**があります。

さらに、**魚のなま臭いにおい**はアルカリ性なので、ビネガーで中和すれば一発で消臭できます。

もともと、熱い洗浄液で反復洗いを行う食器洗い機は、手で洗うよりも化学反応が早いので、汚れにはたいへん効果的です。

オーブン（電子）レンジ

①レンジで使用できるガラス容器などに、**水**を1カップ（200cc）くらい入れ、**重曹の粉**を小さじ1～2杯溶かします。

電子レンジで沸騰させ、とびらを開けずにしばらく置きます。

②庫内に、蒸気による水滴がまんべんなくついて十分にしっとりしたら、やわらかい布やペーパータオルで庫内の水滴をぬぐうと、**汚れが簡単に拭きとれ、においも消えます**。

また、レンジを使用したあとの熱い庫内に、**重曹水**をたっぷりスプレーしてよく蒸らし、冷めてきたら拭きとるのも同様に効果があります。

さらに、**ビネガー水**で蒸らして拭きとるのも、ふだんの軽いお手入れに向いています。

ビネガー水は、魚のにおいなどの消臭にもたいへん効果的です。

冷蔵庫

①重曹は、**冷蔵庫の消臭剤**になります。フタをとった広口のジャムビンなどにカップ1～2杯（200～400cc）の**重曹の粉**を入れ、庫内にセットします。

写真は、ビン上部にガーゼ生地をかぶせ、リボンで止めたもの。3カ月をめどに、においを吸収しなくなったら取りかえます。

通気のいい紙袋に入れたり、紙箱に空気穴を開けて使ってもよいでしょう。

②**ふだんの軽いケア**には、**ビネガー水**を吹きかけ、拭きとり掃除をしておけば十分です。ビネガーによる**抗菌効果**もあります。

特に汚れているところは、**重曹水**や**重曹ペースト**でポイントクリーニングを行います。この場合には、仕上げに必ずビネガー水でリンスをし、残った水滴を拭きとりましょう。

こうすれば、ほとんど水を使わずに、**いつでもきれいに保つ**ことができます。

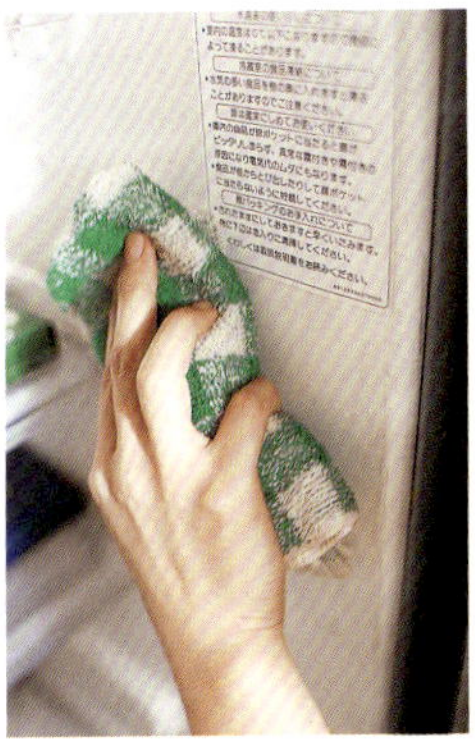

ポット

電気ポットや、やかんなどの底についた水アカを落とすには、全部ひたるくらいにたっぷり水をはり、揮発しないタイプのビネガー（**クエン酸**か**酒石酸**）を大さじ1～2杯入れて、一度沸騰させます。

冷めたら水を捨て、**重曹の粉**や**塩**を使って、水アカをみがき取りましょう。一度で落ちない場合は、この作業を何度かくり返します。

なべ

なべの中の焦げつきには、まず**重曹ペースト**を試してみましょう。拍子抜けするほど、簡単に汚れがとれることがよくあります。

もし、それで全部の焦げが落ちなくても、**重曹水**を入れ、それを煮てふやかしたり、**ペースト**でパックしてからもう一度みがくと、たいていの焦げは、完全に取りさることができます。

やかん

ステンレス製のやかんは、内も外も、ときどき**重曹ペースト**でみがくと、ピカピカの輝きが長持ちします。

重曹でみがく前

重曹でみがいた後

ひどく汚してしまったやかんは、**重曹ペースト**でパックしたり、大きななべに入れた**重曹水で煮たり**して、汚れの分解をすすめ、最後に、再び重曹でみがき掃除をします。

それでも落ちない汚れは、鉄製の細かい糸でできたソフト金属タワシなどでみがくと、傷をつけずに短時間で落とすことができます。

グラス

グラス類をみがくには、**ビネガー水**を使いましょう。

デリケートな**クリスタルグラス**も心配いりません。

スプレーして、ケバのない布でみがき拭きするか、ビネガー水にしばらく漬けておいたあと、みがき拭きすると、とてもきれいになります。

フライパン

調理後の熱い**フライパン**は、すぐ水をはり、**重曹の粉**をひとふりして火にかけます。

ある程度熱くなったら火をとめ、あとは、冷めるまで置いたまま、お食事をどうぞ。その間に、ほとんどの汚れは、軽くこすり洗いすれば落ちる程度まで、重曹が中和分解を進めておいてくれます。

茶しぶ

茶しぶは、手の届く範囲ならば、わざわざ漂白しなくても重曹で簡単に落とせます。

重曹ペーストでみがいてください。

生ゴミ

生ゴミの腐敗とにおいをおさえるには、直接**重曹の粉**をふりかけます。重曹が水分を吸い取りながら消臭を行い、雑菌の繁殖も遅らせます。

ただし、いつまでも三角コーナーにゴミを積み重ねていっていいということではありません。

なるべくこまめに三角コーナーをきれいに掃除すると、雑菌の繁殖も、最小限に抑えることができます。

食器（洗いおけ）

食事の前に、洗いおけの水に**重曹の粉**を、ひとふりして用意しておきます。

食べ終わったらどんどん、食器を洗いおけに入れていくようにしましょう。

しばらく置いておくと、お皿を洗い始めるころまでに、重曹がかなり、**食器の汚れを落としてくれている**ので作業が楽です。

これは、**食器洗い機に入れる前の、下処理**にもなります。油でベトベトだったり、残飯の多いお皿は、別にして、重曹をふりかけて置いておくようにしてもいいでしょう。

重曹が、食べかすをふやかしてくれるので、あとでこそげ落とすのも簡単です。

銀製品

①ふだんの軽いケアの場合、**銀の食器**は**重曹ペースト**でみがきます。

金属の表面を傷つけることなく、汚れだけを取りさるので安心です。

もちろんこの方法は、**ステンレスのナイフやフォーク、スプーン**などにも、応用できます。

②**銀製品のくもりやサビ**を、ひどくしないためには、**ビネガー水**をはったボウルにそれらを沈め、**重曹の粉**をふって、シュワシュワさせてやります。

ビネガー水はあたためたもののほうが、泡がよく出て効果的です。

加減を見ながら、使用するビネガーの種類や重曹の投入量、タイミングを調整してください（この方法は、強い成分を持つ、市販のさびとり剤の代わりにはなりません）。

①

②

ふきんの衛生

①**ふきん類の基本のケア**は、まず**石けん**で洗い、**ビネガー**でリンスして、よく乾燥させることです。

②石けんや重曹で食べ物の汚れをよく落とし、抗菌作用とリンス作用をもつ**香りつきビネガー水**（ハーブで香りづけしたビネガー水なら、ハーブに強い抗菌効果があるのでいっそう効果的）を吹きかけてすすぎます。

最後に、その都度きちんと乾燥させれば、確実に**カビや雑菌の繁殖を防ぐ**ことができます。

③**もっとふきんを清潔**にしたいときは、**重曹水で煮沸**します。

繊維の奥まで汚れがとれるうえ、重曹とお湯のダブルパワーで、高い**殺菌効果**があります。

ただし、この方法は、あまり多用すると、ふきんの生地を早く弱らせますので、注意してください。

④**どうしてもとれないしみ汚れ**があるときや、**煮沸しないでふきんの消毒を行いたいとき**は、**酸素系漂白剤**（詳しくは88ページ参照）の溶液に漬け置きします。

30分～2時間、できれば一晩、漬けておくといいでしょう。そのあと、よくすすぎ洗いをします。

①

②

③

④

まな板

①**ふだんのまな板の掃除**は、**重曹ペースト**でみがきましょう。

重曹が、細かいところまで汚れをかきだし、分解します。

あとは、水ですすいでください。

②さらに、まな板をきれいにしたい場合には、**重曹ペースト**でみがいたあと、**ビネガー水**をスプレーしてシュワシュワさせます。

重曹とビネガーのダブルパワーで、**雑菌を抑えます**。

また、気になるところをこすり終え、重曹ペーストを全体に広げて、熱湯で洗い流しましょう。

③まな板に、**どうしてもとれないしみ**ができたり、**完全に殺菌消毒を行いたい**場合には、**重曹ペーストと酸素系漂白剤の殺菌ペースト**（作り方は35ページ参照）を塗り、ラップをしてしばらく置きます（ペーストをさわるとき、肌の弱い人は手袋をしてください）。

あとは、**ビネガー水**ですすぐか、熱湯をかけて洗い流しましょう。

①

②

③

ワインのしみ

①この方法は、ワインをこぼしてしまったら、間髪を入れずにケアすると、100%有効です。

空のボウルやおなべの上に、しみの部分をかぶせるようにしてピンと生地をはり、ゴムなどでおさえます。

②③**重曹の粉**を、てばやくふりかけます。

重曹のアルカリに反応して、ワインのしみの色が青く変わってきますが、気にしないでまんべんなく、少し広めにたっぷりふりかけましょう。

④熱湯をゆっくりそそぎます。

まわりから、丸く、内側に向かって円をえがくようにお湯を生地に通していくと、重曹が溶け落ちると同時に、ワインのしみも消えていきます。

※数時間たって、この方法では落ちなくなったワインのしみは、**酸素系漂白剤の漬け置き**できれいになります（前ページのふきんの項を参照）。

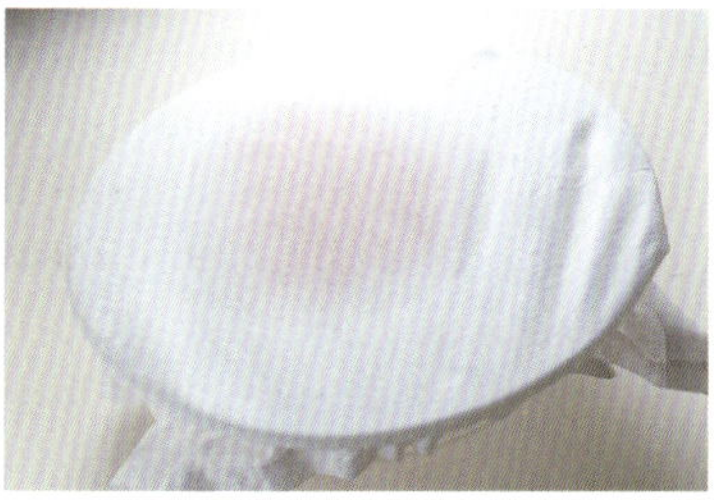
①

③

②

④

しょうゆのしみ

①しみがついた部分の裏側に、たっぷりの分量の、乾いたペーパータオルをあてがいます。

②別のペーパータオルにビネガー水（香りのないもの）を含ませ、しみの部分を上からたたきます。

まわりから、円をえがくように内側に向かってたたいていくと、あとで輪じみになりません。

③ビネガー水のすぐれた浸透力を借りて、しょうゆは下のペーパータオルに移ります。

一度で落ちきらなければ、下にあてがうペーパータオルを、すばやく新しいものととりかえて、同じ作業を行います。

①

②

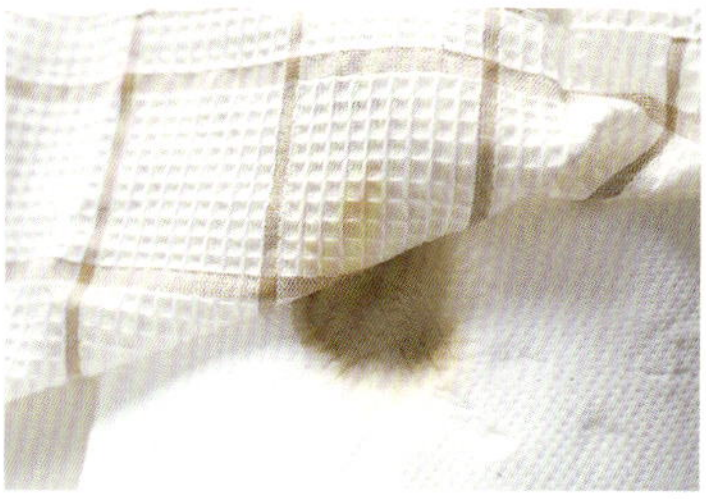
③

ランドリー・洗面所

ランドリーや洗面所などは
カビやサビ、水アカなどに悩まされるもの。
特に洗濯機は、カビが発生しやすいため、衣類に影響を及ぼし
健康を害する恐れもあります。
毎日のことだからこそ、清潔に暮らしたい。
これまでの発想をがらりと変えて
重曹を使った新しいお洗濯を、今すぐはじめましょう。

石けん¥2,100, ルームスプレー¥4,410［以上アイ・スタイラーズ南青山本店］／キャンドル¥1,260［私の部屋 自由が丘店］／歯ブラシ各¥998、ハブラシスタンド¥1,050、バスジェル¥2,100、バスソルト¥1,575、バスタオル¥5040、鏡にうつったバスマット¥3,500［以上キャトル・セゾン・トキオ］

清潔ですっきり、いつでも気持ちいい空間に！

洗面所・洗濯機

——基本のツールセットとお手入れの仕方

洗面台と洗濯機は、近くに置かれることが多いので、ワンセットにしてご紹介します。状況に応じて、洗面所と洗濯機のアイテムを別々にしたり、足し引きしたりして、自由に使い分けしてください。

★チェックリスト

- □ ❶重曹のシェーカーボトル
- □ ❷液体石けんのフォームボトル
- □ ❸ハーブやエッセンシャルオイル
- □ ❹香りつきビネガー水のスプレーボトル
- □ ❺液体石けん
- □ ❻香りつきビネガー水のタンクボトル
- □ ❼重曹のミニバケツ

❶重曹のシェーカーボトル

粉の重曹を入れておきます。洗顔料と混ぜてクレンジングを作ったり、そのまま洗濯物にふりかけて消臭したり。毎日のこまごました動作にサッと使えて重宝します。

❷液体石けんのフォームボトル

フォームボトルが1本、洗面所にあると便利です。

化粧用の上等な液体石けんを入れておきましょう。主に洗顔や手を洗うときに使いますが、お洗濯のときの、ポイント汚れの下処理などにも使えます。

泡立てなくても、はじめからふわふわの泡状態で使え、石けんの使いすぎも防ぐことができます。

❸ハーブやエッセンシャルオイル

スプレーボトルやタンクボトルに準備するビネガー水には、肌や衣類をいたわり、より清潔に保つハーブのパワーを積極的に使いましょう。

写真は、特に殺菌力にすぐれた「ティーツリー」のエッセンシャルオイルです。

❹香りつきビネガー水のスプレーボトル

ハーブやエッセンシャルオイルで香りをつけたビネガー水を入れておきます。

洗顔のときはリンスに用い、さらに洗顔後、洗面台のお手入れにも使います。

重曹や石けんをすばやく中和し、私たちの肌と水まわりの環境を、カビや細菌からおだやかに守る力があります。

2％前後の酸濃度（21ページ参照）になるよう、水でうすめてください。

❺液体石けん

洗濯用の液体石けんをたっぷり用意します。

お洗濯のときに、いつも重曹といっしょに使うようにすると、石けんの泡立ちがよくなり、使う量も減らせます。粉石けんも同様です。

使い心地は、製品ごとにかなり異なりますので、最初は幅広く使い心地を試してみて、自分のいちばん使いやすいものを、見つけていくとよいでしょう。

❻香りつきビネガー水のタンクボトル

スプレーボトルのビネガー水と基本的に同じものですが、こちらは石けんでお洗濯したあと、最後に衣類の仕上げにリンスとして使います。

植物の力を加えることで、衣類は、ワンランク上の清潔感を保てます。

2％前後の酸濃度になるよう、水でうすめましょう。

気軽にザバザバ使えるように、安いビネガーを探しましょう。たとえば、薬局で買い求めた30％酢酸の水溶液を、15倍にうすめて使うなどしても、十分です。

❼重曹のミニバケツ

シェーカーの重曹と同じものです。

重曹は、お洗濯の洗いとすすぎ、そして、洗濯終了後と、何度も登場します。

シェーカーよりももっと大きい容器に、いつでもたっぷり、取り出しやすくストックしておくと便利です。

ほかにそろえるとよいものには、**クエン酸**、**酸素系漂白剤**、**グリセリン**があります。

洗面シンク

陶製の洗面シンクは、いつも重曹でお手入れしていると、ピカピカになります。

重曹の粉をシンクにふりかけ、少し湿らせたソフトな布、スポンジ、アクリルタワシなどでみがきます。

朝、洗顔のついでにサッとこするだけで十分です。

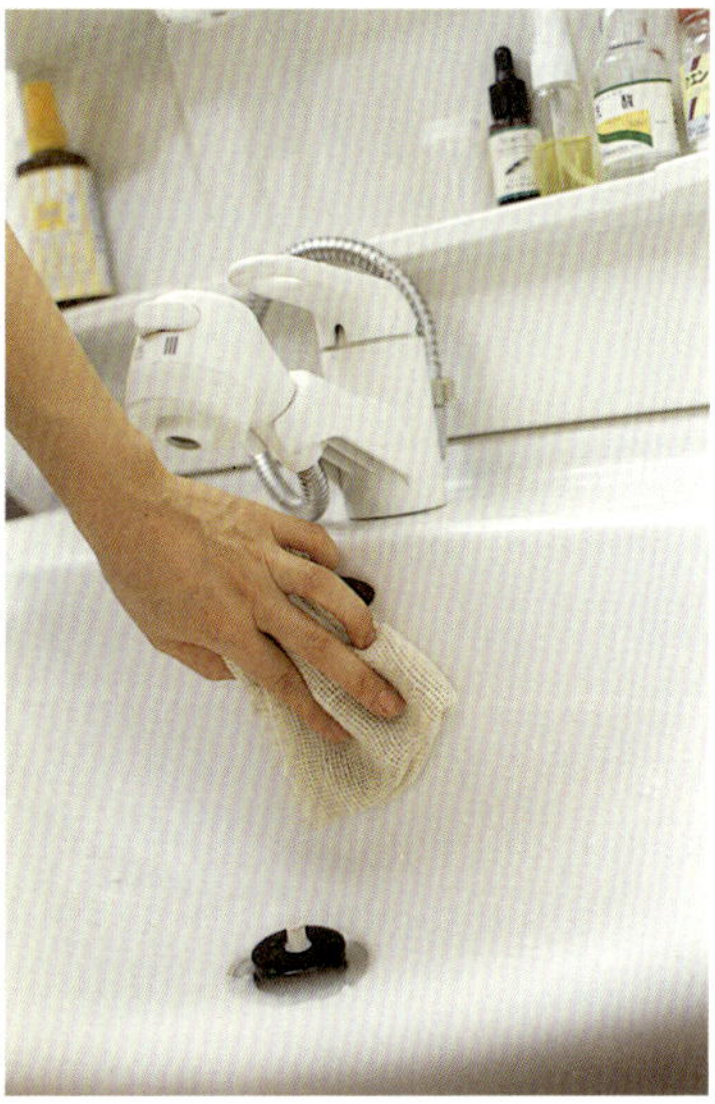

鏡

香りつきビネガー水をスプレーして、ワッフルなどの、やわらかくてケバのない布でみがき拭きします。

大きめの布で、すっすっと一度拭けば、数秒ですっきりきれいになります。

洗面台

やわらかい布に、**香りつきビネガー水**を含ませ、かたくしぼって拭きます。

または**ビネガー水**をスプレーし、サッと拭きとります。

洗面台を、いつもビネガー水で手入れしておくと、**カビや雑菌の繁殖を抑える**ことにも役立ちます。

特に汚れているところは、**重曹ペースト**で、ポイントクリーニングを行います。

この場合には、仕上げに必ずビネガー水でリンスをし、残った水滴をしっかり拭きとります。

重曹と酸素系漂白剤でつくる

殺菌・漂白ペースト

[材料]
・重曹……大さじ2杯（写真右）
・酸素系漂白剤……大さじ2杯（写真左）
・水……少々

[作り方]
1　小さなボウルに、重曹と酸素系漂白剤を入れ、よく混ぜ合わせます。

2　水少々をふりかけながら、しっとりしたペースト状になるまで混ぜます。

＊このペーストは乾燥するとかたまってしまいますので、作りおきせず、一回分ずつ作るようにしてください。
　また、肌が弱い人は手袋をしたり、スプーンを使うなど、直接触れないようにしてください。

[使い方]
1　殺菌、または漂白したいところにペーストを塗りつけます。乾かないよう、ラップをして30分～2時間、できれば一晩おき、十分に殺菌・漂白を行います。

2　さらに、ビネガー水でリンスしながら拭きとります。

＊このペーストは、衣類のしみ、バスルームのカビ、キッチン用品の消毒などに広く使えます。

くし、ブラシ

洗面器に**重曹の粉**をふりいれ、ぬるま湯で溶きます。

そこに、**汚れたくしやブラシを漬けて30分〜2時間おき、軽くふり洗い**します。ほとんどの汚れは、自然に浮き上がって取れてしまいます。

残った汚れも、綿棒や古歯ブラシなどで簡単に取りのぞくことができます。

排水口

排水口は、毎日のシンク掃除などで使った重曹が、そのまま流れることが、いちばん簡単な、**汚れとにおいの防止策**になります。

でも、ときどきは、ビネガーと重曹で完全なお手入れを。

まず、**排水口のまわり**に、**ビネガー**（この場合はうすめない）を含ませたティッシュペーパーをおいて、30分〜2時間、できれば一晩パックし、水アカをゆるませてから、**重曹の粉**でゴシゴシみがきます。

ついでにクズ受けも引き出して、いっしょに重曹の粉で掃除します。

古歯ブラシは、ブラシの先3分の1をななめにカットしておくと、すみずみまでブラシが届きやすくなって、便利です。

蛇口の根もと

いつも、水滴がついては乾き、ついては乾く**蛇口の根もと**などには、いつのまにか白くてカリカリした、**かたい結晶状の水アカ**がつきます。

ティッシュペーパーに**ビネガー**（この場合はうすめない）を含ませ、30分〜2時間、できれば一晩パックし、水アカがゆるんだところを、**重曹の粉**で、ゴシゴシみがき取りましょう。

さらに**水アカ**が多いときは、5〜10%くらいの**濃いクエン酸水**でパックすれば、より早く、結晶をゆるませることができます。

一度きれいにしたら、いつも**ビネガー水**で蛇口まわりのお手入れを。実はそれだけで、**水アカの発生を未然に防ぐ**ことができます。

重曹を歯みがきに！

重曹の粉を、そのまま歯ブラシにふりかけて、歯みがき粉の代わりに使うことができます。

口の中の汚れとにおいをとり、虫歯予防にも役立ちます。重曹は、胃ぐすりとしても薬局で売られているくらいですから、小さいお子さんが多少飲み込んでも大丈夫、安心して毎日のマウスケアに使ってください。

重曹大さじ4杯に、**グリセリン大さじ1杯**、**ティーツリーのエッセンシャルオイル数滴**（お好みで）を加えてよく混ぜ、しぼり出しチューブ（写真は市販のもの）に入れると、さらに歯みがき粉らしく、使いやすくなります。

この手作り歯みがき粉は、**衣類のしみ抜き**にも使えます。しみのあるところにすり込み、しばらく置いて普通に洗濯してください。

★お洗濯の知恵 1 しみ汚れのポイントケア

衣類についたしみには、**グリセリン**（87ページ参照）をしみこませ、軽くもみます。

上の手作り歯みがき粉のように、グリセリンと重曹を適量混ぜたものを、直接しみにすりこんでも効果的です。

そのしみが水に溶ける性質か、油に溶ける性質かわからなくても大丈夫。グリセリンはどちらにも効きます。

しばらく置いて、汚れが浮いてきたら、ほかの衣類といっしょにお洗濯します。

★お洗濯の知恵 2 特にひどい汚れのポイントケア

えりやそで口など、特に汚れのひどいところは、お洗濯の前に、あらかじめポイントケアをほどこします。

❶まず、**重曹ペースト**を汚れの集中しているところに塗りつけ、少し時間を置きます。

❷重曹ペーストを塗り置きしたところに**ビネガー水**をスプレーし、シュワシュワさせて、繊維の奥からもしっかり汚れを浮き上がらせます。

あとは、ほかの衣類といっしょに普通にお洗濯しましょう。

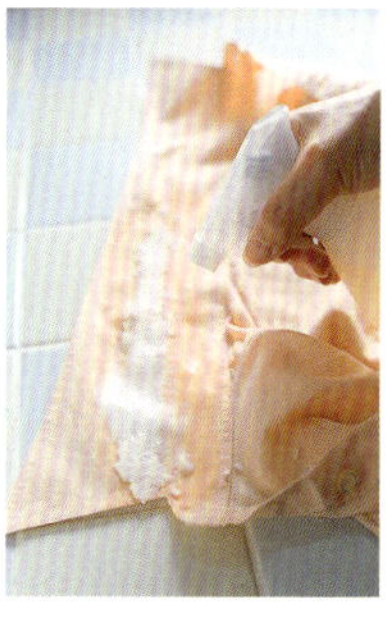

安心で、驚くほどきれいな仕上がりに！

基本の「重曹＋石けん」洗濯法

ここでは「重曹」と「石けん」、さらに「ビネガー」を使った、基本的な洗濯の流れをご紹介します。
洗濯機の種類等により、洗濯の仕方はさまざまですが、この方法をもとに、上手にアイテムを使いこなしてください。

❶ 重曹を入れる

必ず、重曹を、石けんより先に投入しましょう。

洗濯槽の水に、カップ2分の1〜1杯の重曹を入れて、洗濯機を回します。

洗濯機の大きさや設定水位、汚れものの量によって、0.2％くらいか、それ以上の濃度になるように、重曹の量を調節してください。

たとえば、50リットルの水にカップ2分の1の重曹を溶くと、約0.2％の重曹水になります。

❷ 石けんを入れる

次に、通常使用する量の7割程度の石けんを投入し、回します。

重曹を「洗い」のとき使えば、石けんの量はこれで十分、泡と洗浄力をキープすることができます。

❸ 洗濯物を入れる

洗濯物を投入します。

重曹を投入するとき、洗濯物をいっしょに洗濯槽に入れておき、重曹だけで予備洗いをするのも効果的です。

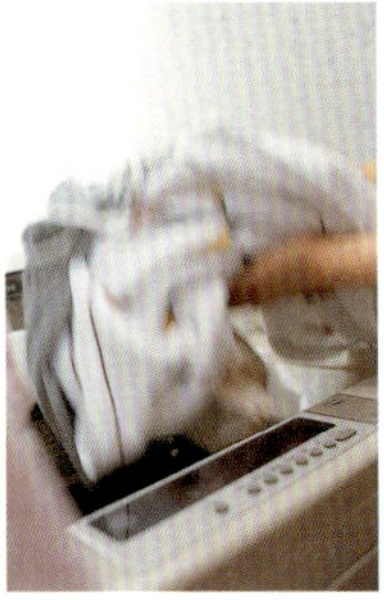

❹ 洗濯機で洗う

洗濯機を回すと、少量の泡がいつも表面に見え、水が白く、うすくにごった状態になります。この程度が、石けんの泡立ち具合としては、適当です。

重曹が入っていると、少なめの石けんでも泡立ちはじめ、しかも、石けんを入れすぎてもモコモコの泡にならず、泡が安定します。

❺ すすぎに重曹を入れる

1回目のすすぎには、重曹を入れます。石けん分を取りのぞき、衣類の黄ばみを防ぎます。「洗い」サイクルのときと同様、0.2％くらいか、それ以上の濃度になるように、重曹の量を調節します。

＊1回しかすすぎを行わないときは、このステップを飛ばしてください。

❻ すすぎに、ビネガー水を入れる

2回目のすすぎには、カップ2分の1〜1杯のビネガー水を入れます。

わずかに残った石けん分とビネガーが出会うことで、衣類につやや、なめらかさを与える油状物質に変わり、繊維をコーティングします。

❼ 洗濯槽に重曹をまく

洗濯が終わったら、最後に洗濯槽の底にバッと重曹をふりまいておきます。

洗濯槽の湿気とにおいをとり、そのまま次回の「洗い」のときの水を、重曹水に変えてくれます。

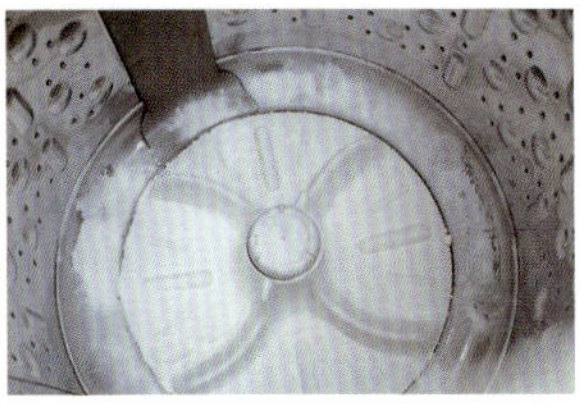

溶け残りよ、さようなら

粉石けん派のプルルン石けん

[材料]
- 粉石けん……洗濯１回分の使用量
- 熱湯……２カップと½

＊耐熱性のガラス容器を用意してください。カップ３杯以上入る容量のものを選び、やけどに注意してください。

[作り方]

1　耐熱性のガラス容器に粉石けんを入れる。

2　熱湯を注ぎ入れ、泡立て器などで静かに混ぜて粉石けんを完全に溶かす。

＊溶け終わると、黄金色の透明な液体になります。

＊冷えてくるにつれ半透明になり、さらっとした液体からゼリー状に、そして最後は少しプルンとした不透明な固体になります。

かたまっても、一度水に溶いてあるので、冷たい水にもすぐに溶けます。

粉石けんを溶くのに、熱湯ではなく、ぬるま湯や水を使う場合は、電子レンジで加減をみながら沸騰《ふっとう》させて完全に溶かしきりましょう。

[使い方]

洗濯機に「洗い」の水を用意します。

このとき、「洗い」の水に0.2%かそれ以上の濃度になるように重曹を溶かしておきましょう。

そうすれば、重曹との相乗作用によって石けんの泡立ちがよくなり、洗浄力を落とさないまま、石けん使用量を従来の７割程度に減らすことができます。

そこにプルルン石けんを入れ、２〜３分、洗濯機を回し、石けんが溶けてきたら、お洗濯スタート!

がんこな黒カビを取りのぞく方法

洗濯槽の黒カビの「3段階コントロール」

❶洗濯機を回すたび、常に重曹を入れるようにすれば、カビが増えないようにコントロールすることができます。

一般的にカビ類は、重曹のもたらす弱アルカリ環境が苦手です。ふだんから重曹を使い続けることで、カビを増やさず、これまであったカビも、じわじわダメージを受けて、少しずつはがれていきます。

❷ときどき行うとよいカビケアは、洗濯槽にビネガー（この場合、うすめない）を投入することです。

ビネガーは、カビの温床になる石けんカスを、よく取りのぞいてくれます。

洗濯槽の最高水位まで水を入れ、ビネガーをカップ2〜3杯入れて、洗濯機を数分間回します。クエン酸の結晶粉末をカップ2分の1〜1杯入れてもいいでしょう。

一晩置いて、洗濯槽をよくすすぎます。

❸もっとも強力なカビケアは、洗濯槽いっぱいの水に、酸素系漂白剤をカップ2〜3杯入れ、ときどき洗濯機を回しながら一晩おくことです。

翌日、はがれたカビがもう出てこなくなるまで、何度かよくすすぎます。

酸素系漂白剤はカビを殺し、石けんカスを溶かしてはがします。

奥のバスオイル￥3,360、石けん￥2,100、ミトン￥1,470［以上アイ・スタイラーズ南青山本店］／ボディブラシ￥1,785［私の部屋 自由が丘店］／バスジェル￥2,100、バスソルト￥1,575、海綿￥2,625、タオル（大）￥2,940、（中）￥1,155、（小）￥630、下に敷いたバスマット￥3,500［以上キャトル・セゾン・トキオ］

バスルーム

美しいお肌と、健康な身体は、
毎日のバスタイムから作られると言っても、過言ではありません。
ここでは、お湯につかりながら、バスルームそのものを、
同時にきれいにしてしまう方法もご紹介します。
重曹生活で、体ぽかぽか心もぽかぽか──。
お風呂に入るのが、ますます楽しくなることでしょう。

心地よい癒しの空間で、健康に！ そして美しく！

バスルーム
——基本のツールセットとお手入れの仕方

家族みんなの、体にいちばん近いところで使うのが、ここでご紹介するバスルームの基本ツールセットです。このセットでは、とりわけ体によい影響を与える成分を大事にしています。

また、このセットを使えば、お風呂に入りながら、バスルームの掃除もいっしょにすませてしまうことができます（72ページ参照）。

しかも重曹があれば、ほかのアイテムの使用量は、ほんの少しですみます。

❶重曹のシェーカーボトル
粉の重曹を入れておきます。浴槽にひとふりして入浴剤にしたり、オイルと混ぜてやさしくマッサージしながら洗えるクレンジングペースト（47ページ参照）を作ったり、バス小物やバスルームを洗ったりと、大活躍します。

❷液体石けんのフォームボトル
バスルームにも、フォームボトルが1本あると、便利です。

化粧用の上等な液体石けんを入れておきましょう。

ボディケアに役立つハーブやエッセンシャルオイルを混ぜておいてもいいですね。

主に髪や顔、体を洗ったり、重曹と石けんのボディ用スクラブフォームを作ったりするときに使います。

また、お風呂からあがる前に、浴槽やバス小物をお掃除するときにも使います。

はじめから泡状態なので、石けんをむだづかいすることもなく便利です。

❸ハーブやエッセンシャルオイル
重曹や液体石けん、ビネガー水に、心身のリラックス効果や抗菌効果の高いハーブの力をプラスしましょう。

特に、ボディケアにもお掃除にも役立つ植物を、注意深く選びます。

写真は鎮痛・鎮静・抗炎症・抗菌などの効果のあるフィトケミカルを含み、しかも直接肌に使うことのできる「ラベンダー・スーパー」（別名・ラバンジン）のエッセンシャルオイルです。

お風呂に入ることが、そのまま自分の体と身のまわりの環境のケアになる、そんな使い方ができます。

❹香りつきビネガー水のスプレーボトル
ハーブやエッセンシャルオイルで香りをつけたビネガー水を入れておきます。

石けんや重曹をすばやく中和し、リンスします。

また、バスルームのコーナーや小物受けなどにスプレーしておくと、石けんカスを溶かし、水アカができるのを防ぐ働きもします。

2％前後の酸濃度になるよう、水でうすめてください。

❺固形石けん各種
液体石けんは手軽で使いやすいものですが、家族のニーズやその日のコンディションによって、こだわりの固形石けんをきめこまかく使い分けるのもいいものです。

毎日のことですから、積み重ねがボディケアには大きな意味をもちます。

石けんを使い、よくすすいだあと、ビネガー水でリンスすると、わずかに残っていた石けん分は、皮膚を保護する膜に変わります。


ほかにバスルームにそろえるとよいものには、**クエン酸**、**グリセリン**があります。

★チェックリスト
- □ ❶重曹のシェーカーボトル
- □ ❷液体石けんのフォームボトル
- □ ❸ハーブやエッセンシャルオイル
- □ ❹香りつきビネガー水のスプレーボトル
- □ ❺固形石けん各種

バスルーム

基本的なクリーニング法は、浴槽、バスルームの壁、床ともに同じです。

お風呂からあがる前に、体をケアしたときと同じ、安全な材料と方法で「ついで掃除」。

こうすれば、翌日わざわざ別の道具をかかえてバスルームに入り、乾燥してこびりついた汚れに悪戦苦闘する必要はありません。

まず、バスルームの壁や床の掃除です。大きめの布やミトンを用意しましょう。お掃除する面に**ビネガー水**をたっぷりスプレーし、**重曹の粉**をふりかけます。

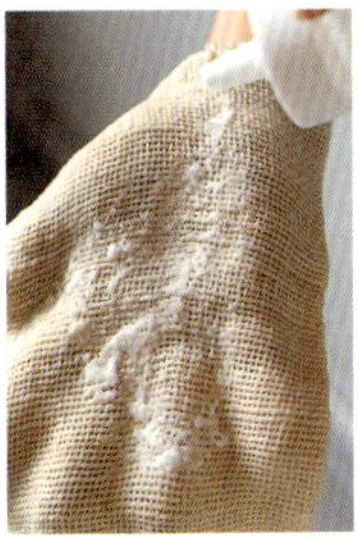

重曹がビネガー水と反応して発泡が始まります。この状態で、なでるように、壁や床をすっすっと大きく拭いていきます。

お掃除面がシュワシュワしているあいだは、拭く面積が大きくても、すべるように楽に動かせます。

壁や床の拭き掃除が終わったら、浴槽やバス小物などの、細かな汚れを重曹でみがき取り、シャワーでサッと洗い流します。

そこでまだ残っている汚れは、石けんカスか水アカ（44ページ参照）です。このうち、石けんカスはビネガー水をスプレーして溶かし流すか、石けんと重曹のスクラブでみがき取ります。

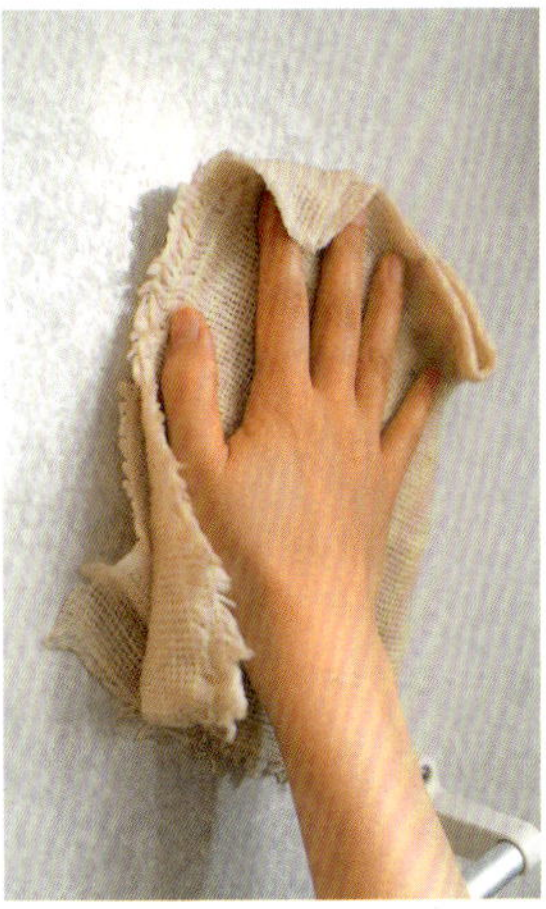

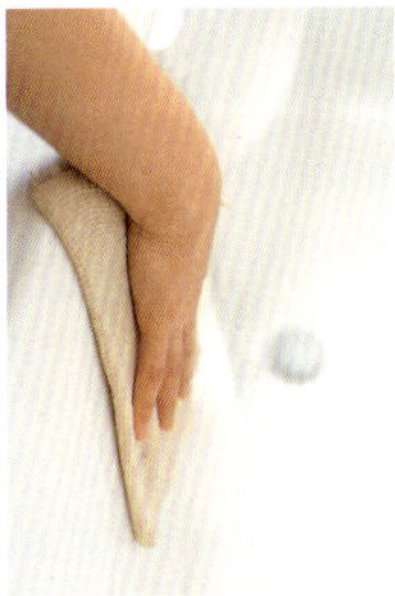

お肌すべすべ体ぽかぽか!

発泡性入浴剤バスボム

[材料]

- 重曹……1カップ
- クエン酸……½カップ
- コーンスターチ……½カップ
- 無水エタノール……少々
- 植物油（お好みで）……小さじ½
- エッセンシャルオイル……小さじ½～1杯

＊バスボムに使うエッセンシャルオイルは、リラックスできるラベンダー、ローズ、ゼラニウム、ジャスミン、カモミール、イランイランなどがおすすめです。かんきつ系やミントは、肌を刺激するので使わないでください。

[作り方]

1　ボウルに重曹、クエン酸、コーンスターチを入れてよく混ぜ、さらにエッセンシャルオイル、植物油を加え、さらに混ぜます。

2　1に、無水エタノールを少しずつスプレーしながら、よく混ぜます。

3　少し湿った状態になったら、プリン型のような容器に入れて押さえつけるか、4、5等分してラップで包み、ギュッと丸いボールをつくります。

4　丸一日乾燥させて、型から取り出します。

[使い方]

お風呂にポンと入れると、シュワシュワ泡をたてながら、エッセンシャルオイルの香りがたってきます。

＊バスボムはお湯の質をよくし、肌を清潔にし、血行促進やリラックス効果もあります。

＊バスボムは、時間がたつにつれ、次第に発泡力が弱くなっていきますので、あまり置いておかず、作ったら1週間くらいで使いきるようにしましょう。

排水口

排水口は、毎日、重曹を含んだ風呂の排水が流れることが、いちばん簡単な汚れ防止策になります。

それでも、特に汚れやにおいが気になるときには、**重曹の粉とビネガー水**のシュワシュワクリーニングを行います。

最初に、カップ2杯の重曹を排水口に直接そそぎます。重曹は、消臭などに使い終わったもので十分です。

次に、電子レンジなどであたためたビネガー（この場合はうすめない）をそそぎ入れます。

シュワシュワしてきたら、フタをして30分〜2時間、できれば一晩置きます。

あとは、お湯で洗い流しましょう。

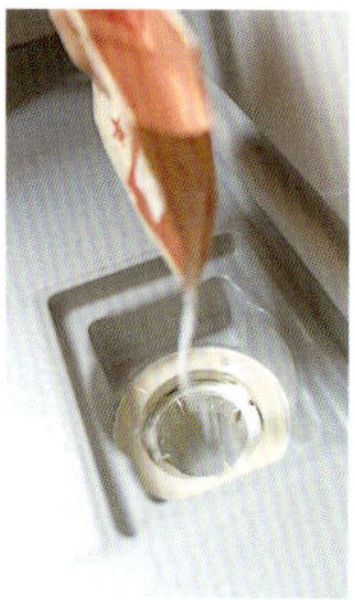

シャワーヘッド

水アカは、**シャワーヘッド**や**蛇口のまわり**、**その下の水がしたたり落ちるところ**、**ユニットのコーナー**など、水があるところにはどうしても発生してくるものです。

これらは、主にカルシウムなどの、水中のミネラル分が結晶化したものです。

まず水アカ部分を**ビネガー水**にひたし、30分〜2時間、できれば一晩置いて結晶を十分ゆるませます。

この場合のビネガーは、**クエン酸**を5％くらいの濃度に溶いたものが、より効果的です。

ビネガーの浸透・剥離《はくり》作用でとれやすくなったところを、**重曹の粉**などでみがいて取りのぞきます。

壁や床など、洗面器にひたせないところは、キッチンペーパーなどにビネガーを含ませてパックし、重曹の粉でみがき取ります。

そのようにして一度きれいにしたら、お風呂あがりに必ず、水アカの発生しそうなところに、**ビネガー水**をスプレーするようにしましょう。

水アカができてからではなく、結晶の発生をミクロの段階で、あらかじめ防ぐことができます。

バスルームのカビコントロール

カビの根が浅く、軽いものは重曹の粉やペーストでみがき取ります。

みがいても取りきれないカビや、タイルの目地の奥など、手の届かないところにはびこるカビには、エタノールを塗りつけて殺菌を行います（エタノールはティーツリー入りもおススメです）。

もっとひどく根の残っているカビは、殺菌ペースト（35ページ参照）でパックし、強力に殺菌・漂白を行います。

すべてきれいにしたあとは、カビを発生させない暮らし方に切り替えます。

もっとも楽なカビのコントロール方法は、毎日、バスルームを徹底的に乾かすことです。カビは水がないと活動できません。

換気や温風乾燥の時間を長くしたり、スクイージーでだいたいの水滴をかきおとしておいたり、すみずみまで風通しよく工夫したりして、排水口のフタやゴミ受けも全部乾かしてしまいます。

抗菌効果のあるビネガー水をお風呂あがりにスプレーしておくことも、さりげないけれど、カビをおさえるのに、ひと役買います。

重曹生活のスマートテクニック

バス小物の手入れ

重曹を入浴剤にして、スベスベお風呂を楽しんだら、残り湯は、洗濯に使うか、浴槽とバス小物をきれいにするのに使いましょう。

重曹生活をはじめると、私たちの肌がきれいになるのも、バスルームがきれいになるのも、まったく同じ理由であることがわかります。

お風呂あがりに、風呂いす、風呂おけなどのバス小物を重曹の残り湯につけておきます。

翌日、汚れはとれているか、または大変とれやすくなっているので、小物類を引き上げて軽く重曹でみがき、浴槽の湯アカも軽くみがいて、サッとシャワーで洗い流します。

簡単なのに本格派！

温泉気分の手作りバスソルト

［材料］
・重曹……2カップ
・天然塩……2カップ
・ラベンダーのエッセンシャルオイル
……10数滴

＊フタのぴったりしまる広口のガラス容器を用意してください。

入浴剤に使うエッセンシャルオイルは、ラベンダーのほかにラベンサラ、ローズ、カモミールなどがおすすめです。

かんきつ系のエッセンシャルオイル（マンダリン、レモン、グレープフルーツ、オレンジ、ベルガモット）は、皮膚についたまま日光を浴びると、しみができることがありますので注意してください。

天然塩は、塩化ナトリウム以外の微量元素が適度に含まれている海のものがおすすめです。

マグネシウムをはじめとする複雑な海洋ミネラルが、お肌のよみがえりを助けてくれます。

［作り方］
1、すべての材料をよく混ぜ合わせます。

2、できたバスソルトをガラス容器に入れ、冷暗所に2、3日置いてなじませます。

［使い方］
1回の入浴に、大さじ2〜3杯を溶かして使います。

スキンケアのために
――スペシャルツールセット

ここまで読んで、「なんだ、どこでもなんにでも、結局、重曹とビネガー、石けんを使うだけじゃないの?」と思った方、正解です。
ある意味、たったそれだけのこと。
でも、このシンプルなツールは、目的に応じて自在に調整できるところがミソだとも言えます。
そこで、ここでは、スキンケアの目的にねらいをさだめて、セットアイテムの材料選びや調合を、ていねいにご紹介していきます。
あなたの肌が欲するケアに、あなた自身のオーダーメイドで応えましょう。

★チェックリスト
- □ ❶重曹のシェーカーボトル
- □ ❷香りつきビネガー
- □ ❸自然石けん

❶重曹のシェーカーボトル

基本はいつだってコレ。粉の重曹をたっぷり入れておきます。

でも、できたら最初は、いくつかの重曹（必ず、食品グレード以上の重曹［＝炭酸水素ナトリウム］を使ってください）を使いくらべてみて、どれを入れるか、検討してください。

ペーストにして肌に当てたとき、爽快な肌ざわりのものの、やさしい肌当たりのものの、するするすぐ溶けてなくなるもの、ゆっくり溶けていくもの。

同じ重曹でも、メーカーの製法や製品の仕様によって、さまざまな感触があることに気づきます。その中で、あなたのニーズにぴったりの重曹はどれでしょうか。

たとえば、ここではクリーミーな肌ざわりが特徴の、細かい粒子の天然重曹を選びました。

スポーツなどでよく汗をかき、もっと清涼感の欲しい方なら、ゆっくり溶けてマッサージ効果の高い、粗めの粒子の重曹などもおすすめです。

❷香りつきビネガー

お肌のお手入れには、次の種類のビネガーが特に向いています。

酢酸を主体とする質のよい自然酢（純米酢、純玄米酢、黒酢、ワイン酢など）、またはリンゴ酸を多く含む質のよい自然なリンゴ酢です。

これらは、ミネラルや各種有機酸を豊富に含むだけでなく、肌に浸透するＡＨＡ（フルーツ酸）も持っています。美容に使うと自然に肌のかゆみやただれをおさえ、皮膚細胞の生まれ変わりを活発にします。

石けんで洗顔したあと、洗面器の水にひとたらしして、リンスに使いましょう。

ポンプボトルやスプレーボトルに入れて、化粧水にするのもおすすめです。

ただし、その場合は、必ず酸濃度が1％以下になるようにうすめて使ってください（なお、詳しいことを知りたい方は、『魔法の液体ビネガー（お酢）278の使い方』（飛鳥新社刊）を参照してください）。

写真のようなアルコール酢も、酢酸を主体とする自然酢の一種です。

ほかの自然酢とくらべ、ミネラルや有機酸は多くありませんが、そのかわり原料臭がまったくないため、ハーブを漬けこんだときに、ストレートにそのハーブの香りと成分が出てきます。

ここでは、可食用ラベンダーを2週間漬けた、きれいな赤い色の、香りつきビネガーです。

ラベンダー自体にも抗炎症、鎮静、抗菌などの、肌によい効果があるフィトケミカルが含まれています。

③自然石けん

上質の油を原料に使い、製造に手間と時間をかけ、さまざまなニーズを満たす特別な「自然石けん」を手に入れようと思ったら……。今の世の中、お金をかけて取りよせるか、手作りするかのどちらかしかありません。

でもその価値はあるのです。写真は、肌の再生に役立つ特別な脂肪酸を多く含むマカデミアナッツ油で作った「マカデミアナッツ石けん」（上）と、保湿効果のある卵黄入りの「たまご石けん」（下）。どちらも自然なグリセリンをたっぷり含んでいます（『オリーブ石けん、マルセイユ石けんを作る』（前田京子著・飛鳥新社刊）を参考に作ったものです）。

こういった石けんで肌をきれいにしたあと、ビネガーでリンスすると、残った石けん分はそのまま皮膚の保護膜となり、私たちの肌の保湿と再生を手助けします。

その日のコンディションに合わせて、石けんの種類を変えたり、重曹の力を借りたり。シンプルだからこそ、それぞれのアイテムの底力がわかります。そしてあなたも、上質のものを選ぶことに、どんどん関心が向いていくことでしょう。

ほかにそろえるとよいものには、**ハーブやエッセンシャルオイル**（美容にはラベンダー、ローズ、カモミール、カレンデュラが向いています）、**グリセリン**があります。

しっとりスクラブ

オリーブオイルのクレンジングペースト

［材料］
・重曹……大さじ１杯
・オリーブオイル……小さじ２杯

［作り方］
小さなボウルに重曹とオリーブオイルを加え、よく混ぜます。ねっとりしたペーストになればできあがりです。

＊重曹の粒子が細かいほうが、よりクリーミーで肌あたりのやさしいスクラブになります。

［使い方］
1、ぬるま湯で少し顔をぬらし、ペーストを塗ってやさしく肌の上を転がします。小鼻のまわりやTゾーンだけ、ポイント的に使ってもいいでしょう。

2、次に、よくすすぎ、コンディションによっては石けんでダブルクレンジングします。

3、最後に、洗面器にビネガーを小さじ1杯程度ひとたらしして、リンスします。

デリケートな肌を、やさしく包む

赤ちゃんのために

——スペシャルツールセット

赤ちゃんの肌はデリケートです。毎日のさかんな新陳代謝に合わせて、皮脂を取りすぎないように、一方で、十分清潔にする必要があります。産院やママたちからは、「そんなときには重曹が役立つ」という声が、多数、寄せられています。

生まれて最初に出会う、ボディケア用品としての重曹。すべての人にやさしく、一生つきあってゆけるものです。

★チェックリスト

- □ ❶重曹のシェーカーボトル
- □ ❷重曹水のスプレーボトル
- □ ❸ハーブやエッセンシャルオイル

❶重曹のシェーカーボトル

ベビー用のバスにひとふりして、重曹風呂の沐浴《もくよく》を。ほどよくうるおいを残して、赤ちゃんの体を洗いあげます。

あとでバスのお手入れをするのも、重曹でひとこすりすれば簡単です。洗剤を使う必要はいっさいありません。

また、赤ちゃんが吐いたり、おしっこをかけたところには、すぐに重曹をふりかけて応急処置をします。

いつも手の届くところにシェーカーを置いておきましょう。重曹が、吐いたものやおしっこを、においも含めて中和吸収するので、乾いたところにゆっくり片づけ。いろんな場面で育児の心強い味方になってくれます。

❷重曹水のスプレーボトル

おむつを取りかえるときや、よだれや汗などで汚れた肌をきれいにしてあげたいときには、重曹水で清拭しましょう。

ぬるま湯に0.2〜1%程度の重曹を溶きます。ポイントシャワーのようにおしりにスプレーして拭いたり、やわらかい布やティッシュに含ませて体を拭いたりします。

重曹水は、肌の汚れをすみずみまでやさしく取りさり、消臭し、おしっこや汗などの老廃物でかぶれそうになった肌のpH（ペーハー）バランスを整える働きがあります。

また、皮膚のかゆみや小さな傷の痛がゆさを、一時的にやわらげる働きもあります。

でも、すっかり清潔になった赤ちゃんには、そのときのコンディションでパウダーやローションなどの仕上げケアを。

重曹は、肌にとって必要不可欠な基本条件を満たすものです。つまり、肌についた異物をゼロにもどすことで、肌自身の生まれ変わりをうながすものなのです。

それ以上のケアは、ママの目で見て、そのとき赤ちゃんに必要なものを、与えてあげてください。

❸ハーブやエッセンシャルオイル

生まれたばかりの赤ちゃんは、肌が極めてデリケートなので、ちょっとした刺激にも、アレルギーをおこしたりする可能性があります。生後2カ月以内の赤ちゃんには使わないでください。

生後2カ月をすぎたら少しずつ、フィトケミカルの恵みをベビーケアに取り入れていってください。

マンダリン、ラベンダー、カモミール、ティーツリー、ローズが適しています。どの精油にも抗菌性があり、続けて使うことで体の免疫力を高める働きがあります。

特にティーツリーは、殺菌効果が高いので、赤ちゃんの身のまわりの衛生におすすめです。

家族全員で、楽しくお掃除！

子どものために

——スペシャルツールセット

家の中を汚すのはパパと子どもたち、片づけてまわるのはママひとりだけ、なんてことはもう終わりにしませんか。

汚した人が汚したその場でサッとお掃除。

クリーニングという仕事を、家族みんなにどんどん分けて、肩の荷をおろしましょう。

2歳の子どもだって、重曹をふりかけることができます。

もしも、重曹をなめて遊んだとしたって平気です
（ついでに歯みがきの仕方を教えましょう）。

子ども部屋だって、自分用のクリーニングセットがあれば、
喜んでお手入れするようになるでしょう。

★チェックリスト

- □ ①重曹のシェーカーボトル
- □ ②液体石けんのポンプボトル
- □ ③ビネガー水のスプレーボトル

①重曹のシェーカーボトル

2歳以上であれば、上手に使うことができます。

落としても割れないように、プラスティックのシェーカーがおすすめです。

ジュースをこぼしたら、その場でふりかけ。お気に入りのぬいぐるみにも、ときどきふりかけてブラッシングするなど、使い道はたくさん！

②液体石けんのポンプボトル

5歳以上であれば、手をすべらせたり、すすぎ足りないことも少なく、上手に使うことができるでしょう。

使うのが楽しくなるような、かわいいボトルに液体石けんを入れておきます。

外遊びの多い子どもたちなら、より清潔に、抗菌しながら手や顔を洗えるように、ティーツリーやラベンダーのエッセンシャルオイルを混ぜておいてもいいでしょう。

③ビネガー水のスプレーボトル

2歳以上であれば、上手に使えます。

テーブルや机、床やじゅうたんなど、とにかく汚したらすぐシュッシュ。重曹や石けんを使ったあとも、仕上げにシュッシュ。

ただし、目に入るとしみますから、それだけは注意しましょう。

ビネガー水（糖分の入っていないもの）の代わりに炭酸水を入れておくというやり方もあります。炭酸水は、ビネガー水と同じように使えます。小さい子どもに1本持たせてもいいでしょう。

子ども部屋のにおい消しに

紙袋の重曹消臭剤

子どもたちが、床をゴロゴロしたり、飛び跳ねたりする部屋は、汗のにおいがこもりがち。

カップ1～2杯の重曹を、通気性のいい紙袋に入れて部屋のコーナーなどに置き、袋ごと次々取りかえてこまめに消臭しましょう。

湿気の多い季節は1カ月前後、ほかの季節は3カ月くらいが取りかえどきです。

ベッドの消臭にも効果的です。リネンを取りかえがてら、パッドを日に干し、重曹をふりかけ、消臭してはらい落としてから取り込むと、においのない快適な状態を長くキープできますので、どうぞ、試してみてください。

グラス入りポプリ¥1,575、スプレー¥2,625［以上私の部屋 自由が丘店］／アロマオイル¥1,260、タオル¥735［以上キャトル・セゾン・トキオ］／プレート¥1,008［リビング・モティーフ］

トイレ

お客さまが来たときなど、トイレの汚れは気になるもの。
清潔で気持ちのいいトイレは、その家の清潔感のバロメーター。
重曹を使えば、これまであきらめていたがんこな汚れを、
簡単に、しかも安心して取りのぞけます。
また、トイレの消臭にも、重曹は力を発揮しますので、
ここでの提案をもとに、
自分なりの工夫をこらしてみてください。

いやな汚れよ、さようなら！

トイレ
——基本のツールセットとお手入れの仕方

トイレの汚れは放っておかず、すぐにその場できれいにすることが大事です。
時間がたつほど、アンモニアや尿石汚れなどのやっかいものが増えてくるからです。
トイレには、必ずトイレの基本ツールセットを置きましょう。
家族一人ひとりが、使ったらその場ですぐ最低限のケアを行うようにすれば、覚悟を決めて大掃除する必要は、いっさいなくなります。

★チェックリスト
- □ ❶重曹のシェーカーボトル
- □ ❷ハーブやエッセンシャルオイル
- □ ❸クエン酸水のスプレーボトル
- □ ❹香りつきビネガー水のスプレーボトル

❶重曹のシェーカーボトル

粉の重曹を入れておきます。

便器をやさしくこすったり、床のおしっこにふりかけて中和・消臭・吸湿したり、タンクの水に溶かして内部クリーニングしたりと、トイレでも活躍の場がたくさんあります。

❷ハーブやエッセンシャルオイル

重曹やビネガー水に、特に衛生に役立つフィトケミカルの力をプラスしましょう。

トイレに良い香りを与え、抗菌作用もあるため、一石二鳥です。

写真は殺菌・防虫効果のあるティーツリーのエッセンシャルオイルです。

同じようにペパーミントもすぐれた殺菌・防虫効果を持ち、トイレ向きのさわやかな香りですが、こちらは3歳以下の子どものいる家庭では、使用を避けてください。作用が強すぎる場合があります。

❸クエン酸水のスプレーボトル

用を足して水を流したあと、必ず便器の中にスプレーします。家族全員、この習慣を心がけましょう。

たったそれだけで、残ったおしっこを分解し、黄ばみや尿石汚れがたまるのを防ぎます。

2％前後の濃度になるよう、クエン酸を水に溶かしてください。

クエン酸水には、においがなく、酸も揮発しないため、その場で長く酸を働かせることができます。

❹香りつきビネガー水のスプレーボトル

ハーブやエッセンシャルオイルで香りをつけたビネガー水を入れておきます。

トイレの中なら、どこにでもシュッとスプレー。クエン酸水スプレーの代わりに、このスプレーを便器の中に吹きつけてもかまいません。

抗菌、消臭、おしっこあとのアルカリ中和、尿石汚れの防止と、ひと吹きにいくつもの働きがあります。

2％前後の酸濃度になるよう、水でうすめてください。

ほかにトイレにそろえるとよいものには、**液体石けん**、**エタノール**があります。

便器のまわりの床

やわらかい布やトイレットペーパーなどに**香りつきビネガー水**を含ませ、拭き掃除します。

おしっこは、出た直後は弱酸性ですが、時間がたつにつれ、アンモニア分が発生してアルカリ性にかたむきます。

したがって、床のおしっこあとは、ビネガー水で中和するのがいちばん効果的。カビや雑菌の繁殖を抑えることにも役立ちます。

特に汚れているところは、重曹の粉をふりかけてポイントクリーニングを。この場合、仕上げに必ずビネガー水でリンスし、残った水滴を拭きとります。

便器の外

香りつきビネガー水をスプレーするだけです。拭きとる必要はありません。

抗菌・防虫効果もあるので、あとは自然に乾燥させてください。

揮発するとき、ビネガーはトイレのにおいも消臭します。

気になる汚れがあるところは、トイレットペーパーなどにビネガー水を含ませて拭き掃除します。これも一度拭きで十分です。

便器

陶製の便器の毎日のお手入れは、**クエン酸水**、もしくは**香りつきビネガー水**のスプレーだけ。

こうしておけば、2、3日に一度の手入れのとき、重曹の粉でみがくだけでいつもピカピカです。

重曹の粉をトイレブラシにふりかけ、気になるところをみがきます。トイレブラシもきれいになります。

紙コップ消臭

トイレの消臭には重曹を用います。好みのエッセンシャルオイルを数滴たらして、消臭剤と芳香剤を兼ねるのもいいでしょう。

取りかえどきは、3カ月に一度、カップ2杯程度の重曹を、新しいものに変えるといいでしょう。

もうひとつ方法があります。重曹を、3つの小さな紙コップに等分して入れて、10日おきに古い順から、いつも1つずつ新しいコップと取りかえるのです。

こうすれば、消臭力を落とさず、常に新しい重曹を補充できます。

使い終わった重曹は、便器をみがいたり、水タンクに入れて内部クリーニングしたり、排水口を掃除するときに使うと、むだがありません。

便器の黄ばみ、輪じみ汚れ

ついてしまった汚れを早くきれいにする方法です。

①まず、便器の水ためにブラシを入れ、いきおいよく上下させて、できるだけ水位を下げます。

②**黄ばみや輪じみ**になっているところに、2、3枚重ねたトイレットペーパーをしき、**クエン酸水スプレー**を吹きつけます。

③30分〜2時間、できるだけ汚れをゆるませてからトイレットペーパーを流し、あとは**重曹の粉**をふりかけてみがきます。

一度で全部落ちなければ、同じ作業をくり返しましょう。

長く放っておいたひどい汚れも、2週間くらい続ければ、ピカピカになってきます。

そうやって一度きれいにしたら、もうトイレ掃除に時間をかけずにすむように、毎日の基本のお手入れをしっかり行います。

それは、**クエン酸水**か**香りつきビネガー水**を、トイレのたびに便器の中にスプレーすることです。

それだけで便器の黄ばみ、輪じみはなかなか発生しません。

結果的に、あとでまとめて掃除するよりも、毎日ケアするほうがずっと楽だと気づきます。

①

②

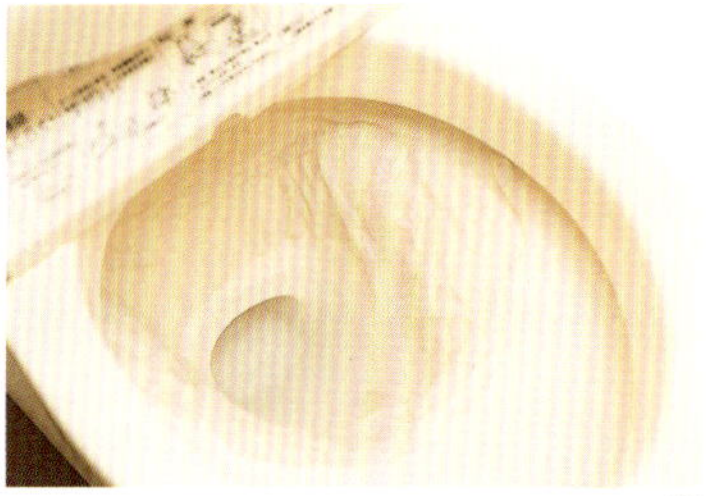
③

手洗いの水アカ、サビ

水アカのたまっている水受けのまわりや、サビの出ている手洗いの蛇口を、トイレットペーパーでおおい、**クエン酸水**か**香りつきビネガー水**をスプレーします。

ひどい水アカやサビには、クエン酸水のほうが長く効くので適しています。

いつもの手入れでしたら、香りつきビネガー水で十分です。

30分〜2時間、できれば一晩置いてトイレットペーパーをはがし、重曹でみがきます。一度で全部落ちなければ、同じ作業を何度かくり返しましょう。

リビング

家族団らん、ときにはお客さまを迎えるリビング。
日々の疲れを癒す場としても、
居心地のいい空間を保ちたいものです。
ここでも重曹は、さまざまな場面で登場します。
じゅうたんに、しみを作ってしまったり、
何かをこぼしてしまったときでも、
慌てることはありません。
重曹は、心までも癒してくれる、
不思議なアイテムなのです。

ブラウス、スカート各参考商品、ソファの上にかけた毛布￥24,990、プレートバスケット￥630、かごの中うさぎのぬいぐるみ参考商品、ストール￥6,720［以上キャトル・セゾン・トキオ］／ラグ￥8,400、ルームシューズ￥4,095、フラワーベース￥10,500、スタンド付きキャンドル￥8,190、犬のオブジェ（茶色）￥4,200［以上リビング・モティーフ］／エッフェル塔参考商品、クッションカバー￥4,200［以上私の部屋 自由が丘店］

いつも清潔で、心からくつろげる空間に

リビング

——基本のツールセットとお手入れの仕方

リビングのお掃除では、フローリングやカーペットなど、面積が大きくて目につきやすいものを、常にきれいに保つことが、いちばん大事です。

主にビネガー水を活用しましょう。

部分汚れは、重曹や石けんを用いるいつものお掃除方法でどうぞ。

お掃除することで、防虫効果や抗菌作用もアップさせることができれば、一石二鳥、三鳥。

そんな知恵も組み込んだツールセットです。

★チェックリスト
- □ ❶重曹のシェーカーボトル
- □ ❷液体石けんのフォームボトル
- □ ❸香りつきビネガー水のスプレーボトル
- □ ❹ハーブやエッセンシャルオイル

❶重曹のシェーカーボトル

粉の重曹を入れておきます。特に汚れのひどいところを、重曹ペーストでポイントクリーニングしたり、家電製品の手アカとり、カーペットのクリーニングなど、いろんなかたちで出番があります。

❷液体石けんのフォームボトル

住居用、もしくはキッチン用の、汚れ落とし効果の高い液体石けんを入れておきましょう。

重曹と混ぜてポイント汚れのスクラブにしたり、万能クリームクレンザー（25ページ参照）の材料になったりします。

❸香りつきビネガー水のスプレーボトル

ハーブやエッセンシャルオイルで香りをつけた、ビネガー水を入れておきます。

2％前後の酸濃度になるよう、水でうすめてください。

石けんや重曹を中和するリンスと、広い面積を一気に拭き掃除する軽いクリーナーと、二つの役割を持ちます。

このビネガー水に、抗菌や防虫に役立つエッセンシャルオイルなどを加えておけば、お掃除するだけで、部屋中に、その効果がゆきわたることになります。

❹ハーブやエッセンシャルオイル

重曹やビネガー水に、加えて使います。良い香りで人を癒すうえに、抗菌や防虫の効果もある植物の力がプラスされます。

写真は、さわやかな香りで抗菌効果もあるオレンジのエッセンシャルオイルです。

ただし、オレンジなどのかんきつ系オイルは、肌につけたまま日光を浴びるとしみになることがあります。

特にアリやハチ、蚊などの侵入を防ぐには、ペパーミントのハーブやエッセンシャルオイルがおすすめです。

前でもお伝えしたように、ペパーミントは、3歳以下のお子さんのいる家庭では使用を避けてください。

ほかにリビングにそろえるとよいものには、**エタノール**があります。

フローリングの手入れ

ウッドフロアの手入れは、香りつきビネガー水を含ませた雑巾を床拭きモップに取りつけ、フローリング全体をサーッと一度拭きするだけ。

このビネガー水は、フロアの汚れを効果的にはぎ取ったあと、すぐに乾きます。乾拭きや水拭きなど、二度拭きの必要もありません。

フローリングのポイント掃除

・軽い汚れ

軽い汚れは、**重曹ペースト**を塗るとまもなく中和し、はがれてくるので、**ビネガー水**をスプレーして、残った水気を拭きとります。

ジュースなども、すばやく重曹をふりかけて吸収させます。

ふりかけた重曹の山が乾いたら、大きなかたまりの部分を手でつまんで片づけ、残ったかけらには、ビネガー水をスプレーして中和し、水気を拭きとります。

・特に汚れている汚れ

特に汚れているところには、**重曹ペースト**を塗ります。

すぐ中和して落ちる汚れもあれば、しばらくペーストでパックして、汚れの分解を待ったほうがよいものもあります。

目で見て、少しこすったりして状態を確かめ、いつリンスして片づければよいか、汚れと対話するようにタイミングをはかりましょう。

タタミ

タタミは乾拭きが基本です。

タタミの原料であるイグサは植物で、水気や洗剤類のアルカリ性に対して強くありません。

ふだんは**乾拭き**し、汚れていたら、かたくしぼった雑巾で水拭きしてきれいにします。このとき、あとで水のしみにならないように、乾拭きして仕上げてください。

それでもタタミがまだ汚れていたら、**ビネガー水**で拭いてください（必ず、タタミの色落ちなどがないかどうか、めだたないところで試してから、使ってください）。

最後に乾拭きして仕上げます。

くれぐれも重曹水や重曹ペーストで拭かないでください。

イグサの中のタンパク質が重曹の弱アルカリ性と反応し、もとにもどらない黄ばみをおこします。石けんや合成洗剤の場合も同様です。

家具

もっとも簡単な手入れは、**香りつきビネガー水**で拭くことです。おだやかな抗菌効果もあります。

このビネガー水では落ちにくい、めだつ汚れがあるときは、**重曹水や重曹ペースト**、あるいは**重曹と泡状の石けんをさっくり混ぜたスクラブ**で、ポイントクリーニングを行います。どの場合も必ず最後に、香りつきビネガー水でリンスして拭きとります。

ただし、無垢《むく》の白木やオイル塗装の家具の場合、水気を与えたところがしみになることがあるので、必ず、めだたないところで試してみてから使ってください。

家電や壁スイッチの手入れ

ふだんの手入れは、**ビネガー水**で拭くだけ。

家族みんながさわるところをきれいにしておくという、さりげない**抗菌効果**もねらえます。

直接スプレーするのではなく、いったん布やティッシュペーパーにビネガー水をスプレーし、それで家電製品や壁のスイッチ類を拭きましょう。

特に汚れているところは、**重曹水、重曹ペースト、重曹と泡状の石けんをさっくり混ぜたスクラブ**のどれかでポイントクリーニングを行い、仕上げはビネガー水で中和して拭きとります。

窓ガラス

ビネガー水をスプレーし、やわらかくケバの立っていない布で、拭きとるだけです。二度拭きの必要はありません。

もし飲み残しの炭酸水（糖分の入っていないもの）があれば、ビネガー水と同じように使えます。

においもなく、経済的です。

カーペットやじゅうたん

敷物のにおいや汚れが気になったときの簡単なクリーニング法です。

①**重曹の粉**を全体にうすくまいてしばらくおき、掃除機で吸い取ります。

たとえばこのとき、重曹に**ペパーミントやレモンのエッセンシャルオイル**を混ぜておくと、ふりまくときにオイルの効果が床全体にゆきわたります。

こうすれば、アリやダニよけにもなり、一石二鳥です。

②カーペットやじゅうたんに**めだつ汚れ**があるときは、その汚れをおおうように**重曹ペースト**を塗り、しばらくおきます。

③**ビネガー水**で中和しながら拭きとります。**重曹と石けんを混ぜたペースト**で、クリーニングするのも効果的です。

この場合も、最後にビネガーリンスをお忘れなく。

①

②

③

寝室／クローゼット／玄関／ペット

寝室の壁や床は、リビングの掃除と同じように。ベッドはリネン類を取りかえるときに、パッドも外で重曹をふりかけて日にあて、ポンポンと重曹をはらい落として取りこむようにすると、より清潔に保てます。

❶**外出後の衣服の手入れ**をきちんと行うかどうかも、気持ちのよい寝室を保つためのポイントです。

外から帰ったあとの服には、細かいほこりやさまざまなにおいがついています。クローゼットにしまう前のお手入れがたいせつ。そのために、日陰で風通しのいい場所を確保しましょう。

また、エアコンの風の当てられるところを用意してもよいでしょう。

まず、洋服ブラシで軽くはらってほこりをとります。

次に**ビネガー水**をうすくまんべんなく吹きかけ、風通しのよいところに吊るします。

20分前後でビネガーはかわきますが、そのときに、ほかのにおいもなくなります。

あとはクローゼットにしまってください。クリーニング費用の節約にもなります。

❷**クローゼット自体のにおいや湿気**をとるには、重曹を使います。

紙袋や口のひらいた鉢状の入れ物など、空気とよく触れる器に**重曹の粉をカップ2杯くらい**入れ、クローゼットの中に置きます。

ラベンダーや**シダー**など、衣類の防カビや防虫にすぐれた効果を発揮するエッセンシャルオイルを、クローゼットに入れる重曹にたらしておくのもよいアイデアです。

この重曹は3カ月をめどに、新しいものと取りかえます。

❶

❷

使い終わった「紙袋重曹」を1カ所に集めて

重曹を消臭・吸湿に使うところは寝室のクローゼットだけでなく、子ども部屋、冷蔵庫、トイレ、靴箱など、家の中にたくさんあります。

それらを使い終わったあと、まとめて保管しておける回収箱を用意しておくと便利です。

大きな器に移しかえる方法もありますが、重いうえに、次に使うとき、またすくわなくてはなりません。

しかも使い古してある以上、どうしてもかたまりがちです。紙袋に入った重曹を袋ごと小単位で取りかえるのは、それほどめんどうなことではありません。

集めておいた重曹は、バスルームや洗面所のお掃除に、パイプクリーニングに、生ゴミの消臭にと、どんどん次の仕事に使ってリサイクルしましょう。

ペットケア

これからは、たいせつな家族の一員であるペットの世話も、基本ツールセットで。

外から帰ってきた犬や猫の体や脚を拭くには、**香りつきビネガー水**を。**ラベンダー、カモミール、ティーツリー、ペパーミントなどのハーブでできたエッセンシャルオイル**を**ビネガー水に加えて**おきましょう。

特にラベンダーやカモミールには外を歩いてきた肉球のケアや消毒、心身のリラックス効果があります。

ティーツリー、ペパーミントには、特に、殺菌や虫よけの効果があります。どれを選ぶか、ペットといっしょに、においをかいで表情を見て、判断してください。

シャンプーをいやがるときや時間がないときは、重曹で手軽にドライシャンプーを。ぬるま湯で重曹水を作り、布をひたしてかためにしぼります。

毛並みにそってやさしく毛を拭きます。最後にビネガー水にひたした布で体全体を拭きます。首輪や散歩ひも、ブラシなどは、残った重曹水につけて30分〜2時間おき、ふり洗いします。

細かいところを重曹ペーストなどできれいにし、ビネガー水でリンスすればすっきりです。

一般に、においに敏感な動物は、ビネガーやエッセンシャルオイルのにおいをいやがるといいますが、慣れればそうではありません。

安全なにおいであること、そのにおいがするときは心地よいケアの時間であることを、ペットに覚えさせましょう。

ペット用ソファやベッド、カゴなどは、いつものお手入れをビネガー水のスプレーで行い、ときどき重曹を使ったお掃除も行います。

猫のトイレは、重曹をしいておくとにおいがかなり軽減されます。ただし、こまめに新しいものと取りかえるようにしましょう。

玄関のしつらいとケア

家のにおいは、住んでいる人にはわからなくても、お客さまにはよくわかるといいます。

いつもフレッシュな空気で玄関を満たしましょう。下駄箱の上の飾りスペースなどに、しゃれた器に盛った**重曹の消臭剤**を。

重曹の上にドライハーブやドライフラワーなどを、少し散らしてもいいですね。

写真は、ラベンダーの花をポイントにおいた例。重曹で消臭、ハーブで芳香しています。

重曹の量のめやすはカップ2杯、取りかえのめやすは3カ月です。

犬の歯みがき

近ごろは老齢の動物も増え、歯の病気の心配が増えてきたようです。特製歯みがき粉で、歯みがきしましょう。

重曹に適量の**シナモンパウダー**を混ぜます。それを少量ブラシにつけ、歯をみがきます。

みがいたあとは、飲み込んでも大丈夫、なんの影響も残りません（心臓、腎臓、肝臓に問題がある場合は、あらかじめ獣医さんに相談し、その指示に従ってください）。

下駄箱

下駄箱の中にも、広く口の開いた浅い器に盛った**重曹の粉**を入れて、消臭・吸湿を行いましょう。

玄関をきれいにしても、まだなんとなくにおいがあるというときは、下駄箱が原因かもしれません。中のにおいを消臭することで、玄関全体も無臭状態にしやすくなります。

コツは、各段にそれぞれ重曹をセットすること。

下駄箱は、閉じてしまうとあまり空気が流れなくなります。同じ量の重曹でも、小分けして配置するほうが高い効果が得られます。

取りかえのめやすは3カ月。でもそれより前ににおいを吸わなくなったら、早めに取りかえを。

靴

ガーゼやレースのハンカチに**重曹の粉をカップ2分の1〜1杯**（**100〜200cc**）包んでシューキーパー型に整え、靴に入れましょう。

においと湿気をとり、靴の型くずれも防ぎます。ストッキングや古靴下に重曹を入れてもかまいません。

第3章

重曹生活の一日

～ある「ジュウソイスト」の暮らし

「ジュウソイスト」――それは、重曹をベースに、
心にも体にも、そして、環境にもやさしい生活を
送っている人たちのことです。
しかも、スタートしてみると重曹生活は、
だれにでも簡単にできるシンプルなもの。
ただ、いくつかのアイテムをそろえ、
とにかく好きなところからやってみるだけでいいのです。
さあ快適な重曹生活、今からさっそくはじめましょう。

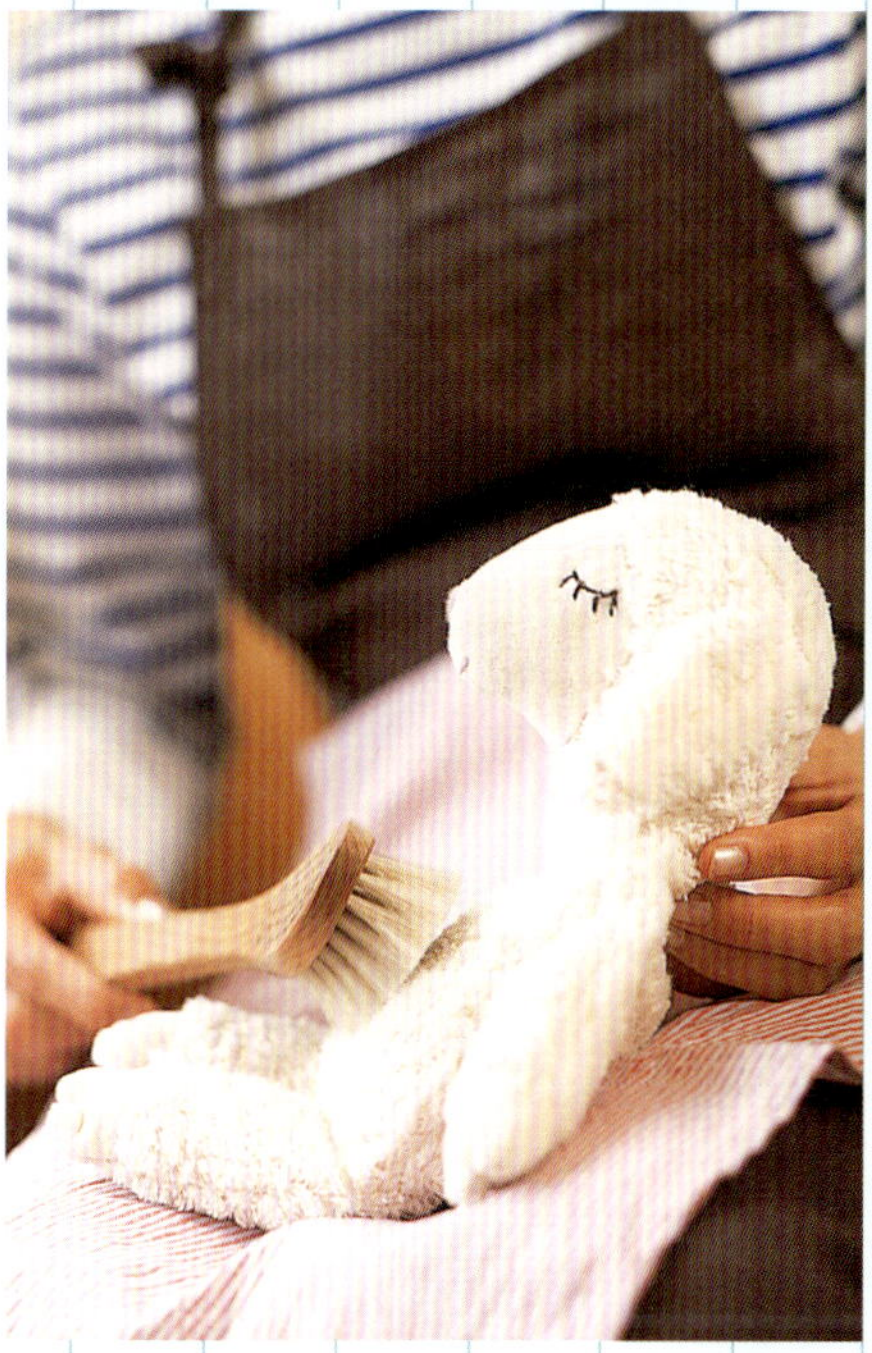

（ぬいぐるみ・p61中央）
ぬいぐるみ参考商品、クロス¥1,470［以上アイ・スタイラーズ南青山本店］／ブラシ¥1680［リビング・モティーフ］
（湯飲み・p60左）
湯飲み参考商品［私の部屋 自由が丘店］

重曹生活の一部をのぞいてみよう

ジュウソイストたちは、具体的に、どんな生活をしているのでしょうか？
ここでは、ある「ジュウソイスト」の一日をご紹介します。
これをアレンジして、あなたの生活をいっそう楽しいものにしましょう。
気持ちいい暮らしのための第一歩、どうぞ、小さなことから、始めてみてください。

朝。花瓶のお水に、
重曹をほんのひとつまみ。
水がやわらかくなって、
お花も私も、いきいき元気ー

早朝。目覚めて一番にするのは、リビングに飾ってある、お花の水の入れかえ。

じきに家族が起きてきて、みんなドタバタの朝食と身支度が始まるから、その前の心落ち着く時間を植物たちと過ごす。

花瓶の中の新しいお水に、重曹をほんのひとつまみ。水がやわらかくなると、お花も水をよく吸うみたい。

重曹には、おだやかな制菌作用もあるから、腐りにくい水になるのもうれしい。

観葉植物たちには、重曹水を含ませたやわらかい布。葉っぱのほこりを、するっと拭きとってあげると、ますますピカピカ。

今日も太陽の光をいっぱい浴びて、元気になあれ。

さて、そろそろ朝食とお弁当の準備。まず、今日一日働いてくれる、シンクの三角コーナーの底一面に、重曹をまく。

この上に生ゴミを重ねていけば、ぬめりも発生しづらく、重曹が、においも湿気もとってくれて清潔に。

スープ用の大なべに、お湯をわかしはじめる。ここにもほんのひとつまみの重曹をパラリ。

やわらかい水は、だしの味と香りをとてもよく引き出してくれる。お料理の腕が、勝手にワンランク上がる感じがする。

コーヒー、紅茶、日本茶もおいしくいただくために、お湯のポットにも、重曹をひとつまみ。

まだ熱いガスレンジのあたり一面、すばやく重曹水を吹きかける。……重曹が、せっせと汚れを中和し続けてくれる。

お弁当のおかずを作り終わったら、フライパンをちょっと持ち上げて、ガスレンジがまだ熱いうちに、あたり一面に、すばやく重曹水を吹きかける。

重曹水の入ったスプレーボトルは、すぐ手が届くところにスタンバイ。

油の飛びはねや、タレをこぼしたあたりは特に念入りに。といっても、この動作、一回あたりほんの数秒。

熱のおかげで、うすい重曹水でも化学反応はよく進む。このあと、ビネガー水のリンスで拭きとるまでのあいだ重曹が、せっせと汚れを中和し続けてくれるのだ。かしこい手抜きの、強い味方。←

オーブン（電子）レンジやトースターは、使ったあと、庫内が熱いうちにビネガー水をスプレー。

少し蒸らして、あとはやわらかい布などでサッと拭くだけ。ビネガーが庫内の汚れをはがし、消臭までしてくれる。これも動作は、ほんの数秒。

ビネガー水の場合は、重曹水とちがって、二度拭きがいらないため、いそがしいときには大助かり。↘

スープを作り終え、空になった大なべは、熱いうちに水をはって、重曹をひとふりする。

なべの内側の掃除になるだけでなく、このなべを、洗いおけ代わりにするのが、一石二鳥のわが家流。家事の組み立てを根本的に考え直すきっかけにもなった。←

家族は食事を食べ終わったら、どんどんなべに食器を入れていく。

このあと、重曹が食器の汚れ落としを始めてくれているので、このまま、私も会社へ出勤できる。

消臭・制菌効果も持つ重曹だから、帰宅後、キッチンに汚れ物をためているというストレスを感じない。

「留守中、下処理をヨロシクね」と、おなべの中の重曹に、ひと声かけて出かける。←

フライパンの落ちない汚れを、いつまでもこするのはとっくにやめた。

今日は、すばやく重曹ペーストでパックして、あとは重曹におまかせ。そのまま身支度に移る。

重曹を歯みがきに。
小さなビン入り重曹が、家族みんなの「安心マウスケア」に大活躍！

わが家の洗面所は、広口のガラスビンに入れた重曹を常備している。

夫と子どもは、濡れた歯ブラシに重曹をちょっとつけて、歯みがき粉に（37ページ参照）。

私は、フロスや歯間ブラシに重曹をつけてお手入れ。すみずみまで、すばやくツルツルになるのがお気に入り。

前の晩に食べたもののにおいが気になるときは、重曹水でうがいをする。

小さなビン入り重曹が、家族みんなの安心マウスケアに大活躍だ。←

家族がそれぞれ、朝一枚ずつ使うハンドタオルのために、重曹水を入れた小さなバケツを用意。使い終わったタオルを、次々にバケツに入れていってもらう。

これだけで、もう軽い汚れ落としのコースはスタートしたようなもの。

みんながいない時間帯も、重曹はせっせと働いている。←

子どものおねしょ発覚。

お布団は、ビネガースプレーをしながら日に干した。

おもらしシーツと下着、パジャマは、大きなバケツに香りつきビネガー水をたっぷり用意して、急いで漬けこむ。

とりあえず、出かける前はこれでOK。帰ってくるまで、ビネガー水が抗菌しながら、おしっこ臭を分解してくれる。↘

洗面所を使い終わったら、最後にザッと重曹でひとこすり。

歯みがきや洗顔で使った重曹の残りを、ついでにこの数秒のケアに使うこともしばしば。

汚れをためこまない暮らしは、日常のこんなちょっとした動作にかかってくる。←

重曹を流したら、水のたまりやすい洗面ボウルの排水口まわりに、ビネガー水をスプレー。

こうやって、いつもミクロのレベルで、水アカができないようにコントロールする。←

コックの根元に、少しがんこな水アカが残っているので、今日はクエン酸をまぶし、少量の水でみぞれ状にして出かける。

このビネガーは、帰ってくるまで揮発しないでジワジワ働き続けているはずだ。かなり強力な酸だから、いっぺんで全部やっつけられるかも。ちょっと楽しみ。

消臭だけでなく、
抗菌効果の高いハーブを
プラスしたビネガー水。
トイレを、雑菌のない、
清潔な環境に整えてくれる。

家族がみんな出かけて、最後に出勤する私がするのはトイレのケア。

便器の中に、香りつきビネガー水をまんべんなくスプレー。特に黄ばみやすい水位線のあたりは念入りに。

これで、次にだれかが帰ってトイレを使うまで、ビネガーが、ミクロの尿石汚れを防ぎ続ける。

濃いめのクエン酸水をスプレーしてもいいけれど、最近はずっと黄ばみが発生せずにきれいなので、それほど強いビネガーを必要としない。このへんは、様子を見て臨機応変に加減する。

仕事から帰ってきたときには、ビネガーのにおいはまったくせずに、ハーブの残り香《が》だけが、ほんのりただよっている。

トイレ空間にも、香りつきビネガー水をスプレー。

アンモニア臭を、酸で中和消臭するだけでなく、抗菌効果の高いハーブの力をプラスしたビネガー水。トイレを雑菌の繁殖しにくい、清潔な環境に整えてくれる。

今日も、留守中よろしくね。

タンクの水受けに、少し水アカが発生していた。出勤までに、まだちょっと時間があるからケアしてしまおう。

今朝、洗面所の排水口まわりで使った残りのクエン酸で、いっしょにケアしていくことにしよう。

ここでもクエン酸の粉を、少量の水でみぞれ状に混ぜて水アカに塗る。

このやり方は、クエン酸をとても濃く使えることと、そのまま水を流せばいい、お気楽さが気に入っている。

ただし、クエン酸を使う場所の耐酸性には気をつけなくは。

この場合には、材質がじょうぶな陶器であること、手洗い水を流せばタンク内で十分うすまること、そしてまたすぐ次にだれかがトイレを使って、そのタンクの水も流してしまうだろうということを、計算に入れている。

家族の動作も、お掃除の一部に組み込むというわけ。

さらに、蛇口の頭の小さな小さなサビを発見。これもついでにビネガーケアしていく。サビのあたりに同じように、みぞれ状のクエン酸を塗るだけ。

帰ってくるころには、きっとサビはとれているはずだから、あとは簡単に重曹でみがこう。

尿石や、その他のトイレの汚れは、重曹のひとこすりで楽に落ちてくれる。この間、たったの十数秒。

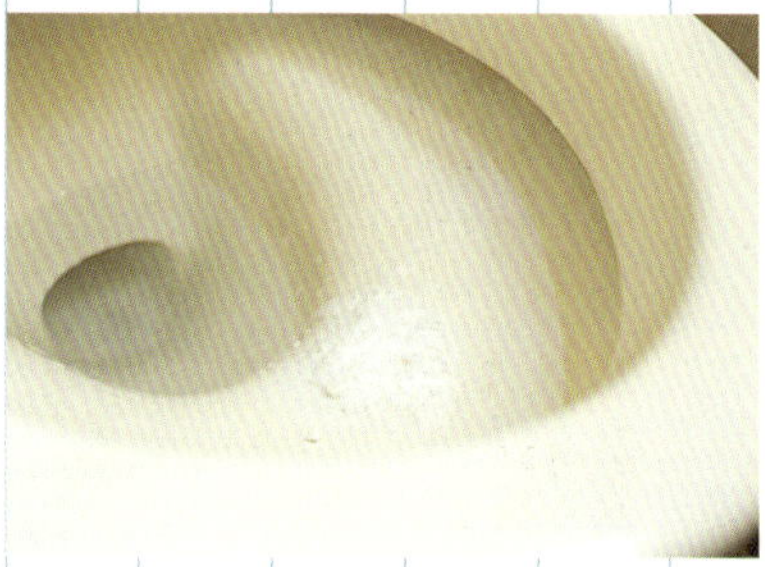

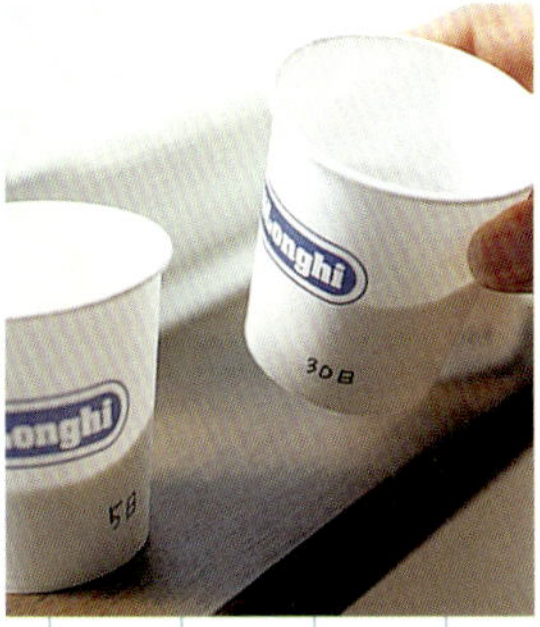

夕方家に帰り、ホッとひといきトイレを使ったら、ついでに重曹で、便器のみがき掃除。

朝のビネガー水でゆるんだ尿石や、その他の汚れは、重曹のひとこすりで楽に落ちてくれる。この間、たったの十数秒。

日々、汚れをためないトイレケア、本日もこれで完了。←

トイレの消臭用コップ重曹は、そろそろ取りかえのタイミング。

うちの場合、3週間に1回程度、全体の3分の1を入れかえている。

今日の使用済み重曹は、近いうちにキッチンか、バスルームの排水口掃除で活躍する予定。↘

廊下や階段など、目につきやすい床まわりを一瞬でお掃除。

ほこりは、拭き掃除がもっとも効率的といわれる。

動作は簡単。やわらかい布か、ティッシュペーパーに香りつきビネガー水を含ませ、静かに一度拭きとるだけ。

ビネガー水は、二度拭きしなくていいから、面積の広い床などのケアが格段に楽になる。←

洗面所の蛇口まわりに、朝まぶしたクエン酸を、重曹で中和しながら歯ブラシでシュワシュワみがき。

やった！ いっぺんで水アカがとれてツルツルにもどった。やはり早め早めの手あてが肝心なよう。←

帰ってきた子どものソックスがどろんこ。

洗面器にお湯をはり、重曹をなるべく濃いめ（8%以下）に溶き、次に石けんも濃いめに溶いて、ソックスを漬けこむ。

あとで、汚れをたたき出すようにもみ洗いするのだ。

濃いめの洗浄液に漬け置くことと、もみ洗いが、こんなガンコな汚れを落とすカギ。

酸素系漂白剤もいいけど、最後の手段に取っておく。

重曹は、
油脂を中和し、
いろいろなにおいを消臭する。
そのうえすすぎが簡単で、
手間取らないのもいいところ！

夕食の準備は、朝食の後片づけから始まる。

朝、スープなべにつけていった食器類とスープなべそのものを、まとめて食器洗い機にセットする。

重曹のおかげで、もう汚れはほとんど落ちているので、すすぎ中心に短いサイクルで十分。

ときどき、大さじ1～2杯の重曹を洗剤ポケットに入れることもある。これも加減を見て柔軟に。

まず、子どもが持って帰ってきたお弁当箱に重曹をひとふりし、やさしくみがき洗いする。

さらにプラスティックの表面に残りがちな油の膜や食べ物のにおいも、重曹ペーストで少しパックすると、すっきりきれいに落ちる。

細かい研磨キズの心配がないのも、嬉しいところ。

夕食の野菜の下処理にも、重曹は大活躍。

トマトは重曹でこすり洗いすると、とてもきれいになる。

キュウリやその他のやわらかい野菜は、うすい重曹水につけておくと、やさしく表面の汚れを取りさることができる。

今日のメインディッシュの材料は、ひき肉とお魚。

こんなふうに、においのあるもの、脂のあるものを扱うときは、いつでもすぐ使えるように、必ずそばに重曹をスタンバイ。

重曹で手を洗うと、調理中、いつも手をさっぱりさせられるので便利。

油脂を中和し、いろんなにおいを消臭する。しかもすすぎが簡単で、手間取らないのもいいところ。

炒め物や揚げ物のあとの始末には、重曹だけでなく、石けんの力も借りると手早く、さらに効果的。

お魚を調理するときは、いつも必ず香りつきビネガーをそばに用意する。

広口の容器にビネガーを入れて、魚の近くに置くと、魚のなま臭いアルカリ臭が、ビネガーのにおいに打ち消される。

おもしろいことに、お魚があるあいだは、すっぱいにおいはほとんど感じない。

キッチンにお魚臭をしみこませてしまわないためのひと工夫。

同じく、魚を扱ったまな板や包丁などは、キレイに洗った後、必ずビネガー水のスプレーで、なま臭いにおいを中和する。

魚焼きグリルの下皿には、水ではなく、重曹水を入れて調理に使う。

この方法だと、重曹の粉を一面にしくよりも節約になり、グリルの熱は、うすい溶液でも、重曹の働きを十分に引き出す。

調理のにおいが少なく、油もベトつかず、後片づけがとても楽。

生ゴミは、乾燥させれば雑菌が繁殖しにくくなり、腐敗臭も出ない。

このため、わが家では、三角コーナーは一時の水切りくらいに考えて、新聞紙や折り込みチラシで作った、乾きのいい簡易生ゴミ入れに、食べ物クズをどんどん移していく。

重曹をひとふりすれば、においと雑菌がおさえられるので、愛用中。

ミートボールを作ったあとの、汚れたボウルにはもちろん重曹。ついでに手についた汚れも重曹で洗う。

ほとんどの調理用具は、その場で重曹をふりかければよく落ちる（※ただし、アルミ製のものには、重曹を与えないでください。黒ずむことがあります）。

炒め物や揚げ物をしたあとの始末には、汚れを中和する重曹だけでなく、石けんの「乳化」の力も借りると手早く、効果的。

うちのキッチンには、クリームクレンザー（25ページ参照）を常備してあるので、油いっぱいの、このフライパンにはそれを使おう。

調理機具は、基本のケアを毎日行えば、むずかしい器具や薬剤などは、なにもいらない……

グリルの水受けに入れた重曹水を、汚れごとざっと捨て、重曹ペーストかクリームクレンザーで残ったところを掃除。
最初に重曹水を入れておけば、調理と同時に汚れ落としが始まるので、やっかいだと思っていた後片づけが、拍子抜けするほど簡単になる。→

調理終了、と同時に調理道具の後片づけも終了。
あとは洗いおけに、食べ終わった食器を家族がめいめい漬けておけるように、ぬるま湯の重曹水を用意。→

排水口のクズ受けは、調理のたびに毎回、生ゴミをさらう。
ときどきみがくなら、重曹で。基本のケアを毎日行えば、むずかしい器具や薬剤はなにもいらない。

グリルの水受け皿には、何をいれる？

第2章では、グリルの水受け皿の中に、重曹をしきつめる基本アイデアをお伝えしました。

そして、69ページでは、粉ではなく、重曹水を注ぐアイデアもお伝えしました。

どちらも後片づけが楽になる、すぐれた知恵ですが、実はもうひとつ、あるものを、水受け皿に入れるというアイデアがあります。

それは、ビネガー水です。

この場合は、香りつきよりも、香りなしのビネガーが、より向いています。

特にお魚調理の場合、ビネガー水を入れておくと、加熱中、いっさいなま臭いにおいがしてきません。ビネガーが魚臭を中和するからです。

そのかわり、受け皿に落ちた油などの汚れは、重曹のあるときのようにサラリとは分解しないので、受け皿の後片づけは、少していねいにするようにしましょう。

この方法は、閉め切ったマンションなどで、「においがこもるから、魚をなかなか焼く気がしない」、という人などにおすすめです。

ちなみに、お魚の焼ける香ばしい良いにおいは、ちゃんとただよってきますので、ご安心ください。

キッチン空間に残る、食べ物のにおい。最後に、香りつきビネガー水のスプレーで、キッチン全体の消臭と抗菌を。

今日は、包丁は重曹でみがいてオワリ。日によってはビネガーで、鋼《はがね》の包丁のくもりとりを行うこともある。

また重曹水に漬けておけば、サビの進行を遅らせることもできる。

そして、いちばん重要なのは包丁はよく乾かすということ。清潔な乾いた布2枚を使い、二度乾かし拭き。←

今日の調理中には、吹きこぼれなどの汚れも、さほどなかったガスレンジトップ。

香りつきビネガーをスプレーして、うすい油の飛び散りのみを拭きとっておわりにする。↘

キッチン空間に残る、食べ物のにおい。最後に香りつきビネガー水をスプレーして、キッチン全体の消臭と抗菌を行う。

ビネガーの消臭は、すぐににおいが飛ぶ即効性がうれしい。

来客30分前の、エアフレッシュナーとしても使える。←

ふきんの衛生にいちばん必要な条件は、きちんと乾かすこと。これだけで雑菌は繁殖できなくなる。

すべてのふきんを、重ねずに一枚ずつ乾かすことができるふきんかけを用意。ふだんは石けんで洗ってビネガーリンスするだけ。これで十分。

重曹風呂の、いつもの気持ち良さ。さらに、家族の健康を考えて、私なりの工夫をプラス！

そろそろパパとお風呂に入る子どもが、今夜の入浴剤について質問してくる。「今日はどのバケツの重曹を、何杯入れるの？」

　私は家族の体調や、季節の変化を考えながら答える。

「じゃあ、ラベンサラの重曹を、今日はミニスコップに2杯ね」

　バスルームのわきには、ハーブの力を加えたいくつかの重曹が、ミニバケツで並べてある。

　今日選んだのは、最近、寝不足気味のパパのために、安眠効果のあるラベンサラのエッセンシャルオイル。

　幼稚園では、風邪が流行っているというが、ラベンサラは子どもの体の抵抗力もつけてくれるはず。

　重曹風呂のいつもの気持ち良さに、家族の健康を考えて、私なりの工夫をプラス。←

　私のお風呂タイムにも、浴槽のふちに山盛りした重曹が大活躍。

　入浴剤はもちろん、顔やボディの気になるポイントを、泡立てた石けんと混ぜてマッサージし、歯みがきやうがいにも使う。おしまいにバスルームの掃除も。↘

　タイルの目地に、ポツンとできたカビを発見する。

　まずは、重曹でこすってみよう。落ちるようならそれでOK。

　もっと根が深い場合は、殺菌ペースト（35ページ参照）でパックしなければ。とにかく早めの退治、が肝心。←

　バスルームの排水口は、お風呂あがりに必ずチェック。

　キッチンの排水口同様、栄養源となる石けんカスや脂質、タンパク質を残さないようにさらってしまう。

　放っておいて、雑菌が繁殖してしまう前に、きれいに取りのぞけば、なにも汚くはないのだ。

バスルームのコーナーに、ティーツリーの香りつき2％クエン酸水をスプレー。カビや雑菌に、先制パンチを与えることに。

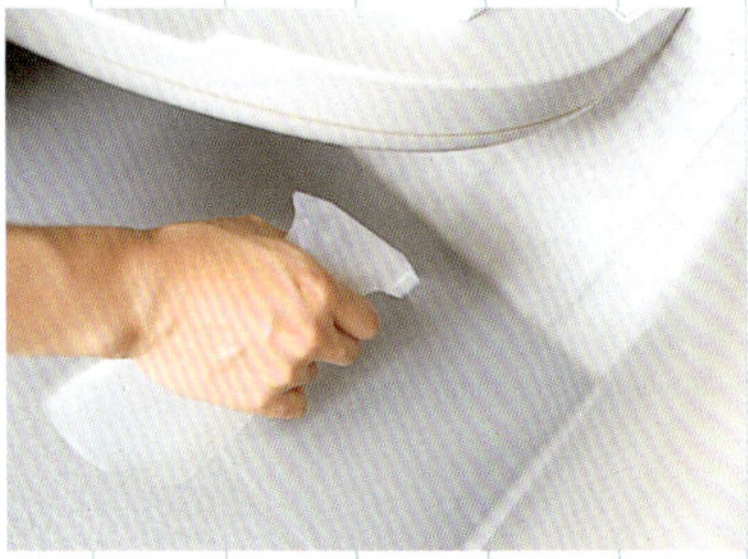

バスルームのコーナーにも、香りつき2％クエン酸水をスプレー。

このへんは石けんカスがたまりやすいので、溶けて流れるように毎日必ずひと手間かけておく。

このクエン酸水には、ティーツリーのエッセンシャルオイルを混ぜてあるので、石けんカスが大好きな、カビや雑菌に、先制パンチを与えることにもなる。←

お風呂から出て、バスタオルで体を拭いたら、そのままバスルームの壁や床も、バスタオルでざっと拭いて洗濯機へ。

以前なら、自分の体を拭いたタオルでお風呂場も拭くなんて、考えられなかったこと。

ざっと水滴をとったお風呂は、乾燥も早く、よりクリーンに保てる。

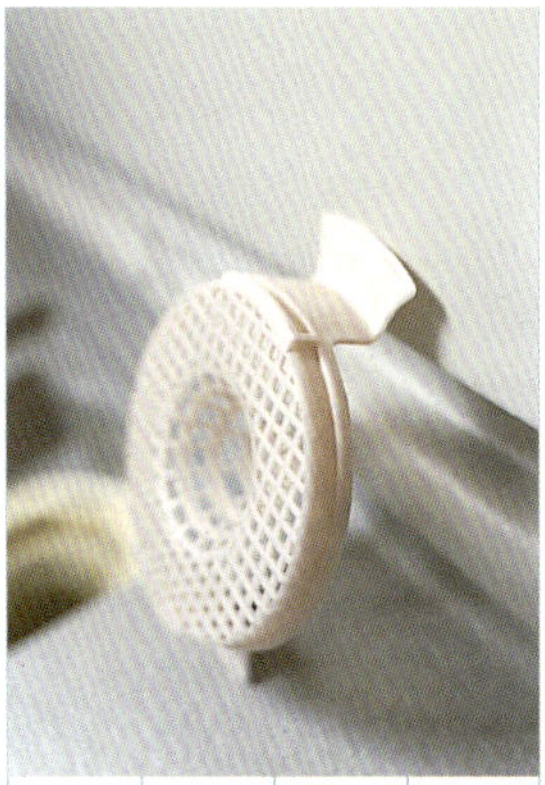

排水口のフタや、ゴミ受け網も、毎晩お風呂が終わったら徹底的に乾燥させる。

これでほぼ完全に、排水口のいやなぬめり、カビや細菌の繁殖をストップすることができる。←

香りつき2％クエン酸水を、水アカのたまりやすい、カウンターの上にスプレー。

住んでいる地域の水事情によって異なるけれど、うちの場合、こと水アカに関しては、揮発しないクエン酸水を使うほうが、効きがいいみたい。↘

重曹は、汚れの下処理、消臭、制菌だけでなく、洗濯水をやわらかくし、弱アルカリにキープ。

朝、出かける前に、バケツに漬けておいたハンドタオルを、重曹水ごと洗濯機に入れる。

重曹は、汚れの下処理、消臭、制菌を行うだけでなく、水をやわらかくし、弱アルカリにキープすることで、石けんそのものに対しても、すぐれた助剤の役割を果たす。

コツはたったひとつ、石けんよりも先に重曹を水に溶かすこと。

バケツの水もムダにならないし、洗濯機に入れたあとの重曹がさらに活躍するところも、合理的でいい感じ。

粉石けんは、あらかじめ熱湯で溶いたもの（39ページ参照）を投入。そうしておけば、冷めて固まっても、今度は洗濯機の中でアッという間に溶けてくれる。

先に入れた重曹が、石けんを出迎える。ふたつは、それぞれ違う仕組みで汚れにアタックする、テニスでいうなら、ダブルスのコンビのような、絶妙な組み合わせ。

そういうことを知っていて、グルグル回りながら溶けていく石けんを見ているのも、なんとなく楽しいもの。

下処理をした、子どものソックスも、ここで洗面器の水ごと投入。

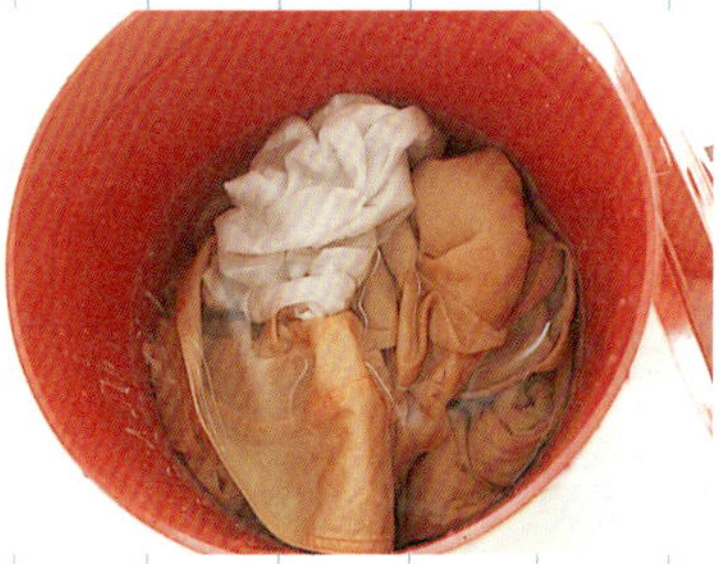

時間がないときは、すすぎは1回。

重曹と石けんでの洗浄が終わったあと、リンスポケットのビネガーが洗濯槽に流れ込むようにセット。

それから、今朝、ビネガー水に漬けておいたおねしょバケツをチェック。おしっこのあともにおいもない。

今夜の洗濯が終わったら、バケツの中身を軽くしぼって、洗濯槽の新しく作る重曹水に、明日の朝まで漬け置きしよう。寝ているあいだに、重曹が、シーツ全体の汚れ落としを始めてくれる。

脱水した洗濯物は、干しながら最後のチェック。通常の洗濯で落ちなかったしみ汚れを見つけたら、それだけ別にとっておく。

子どものどろんこソックスはきれいになった、合格。

夫のシャツにソースかなにかのしみあとを発見、不合格。

汚したまま、しばらく放置されていた子どものタオルハンカチを発見。うすい黒カビがある。もう！

おもらしシーツを洗濯槽の重曹水に漬け置きする準備をしながら、小さいバケツに、酸素系漂白剤の溶液を用意し、先ほどの不合格クンたちを漬けこんでいく。

朝までに、すっきりと殺菌・漂白が終わっているはずだ。

洗濯物、いつ洗う？　いつ干す？

重曹をベースにした石けん洗濯は、ある意味、「タイミング洗濯法」とでも呼ぶものでしょうか。これまでの家事の流れを、効率よく組み立て直すことに、必ずつながります。

まず、どうやって重曹や石けん、ビネガー、酸素系漂白剤といった自然の物質によく働いてもらうかを、考えましょう。

重曹やビネガーには、あなたが出かけたり、寝たりしている時間に働いてもらうといいですよ。

夜洗濯する人は、朝、漬け置きの段取りだけして出かけましょう。

朝洗濯する人は、前の夜、ほんの一手間、段取りをして休みましょう。

そして究極の段取り！

夜、洗濯し終えたあとの、ぬれた衣類をたたんで、そのまま朝まで置いておいたとしても、重曹生活の上級者ならば、なんの問題もありません。

それは、こんな理由からです。

洗濯物を、干す前にたたんで上からパンパンとたたくと、衣類のしわがよく伸び、アイロンがあまり必要でなくなるということは、古くから知られた知恵です。

「でも、ぬれたまま朝まで洗濯物を放っておいたら、しわは伸びても雑菌が寄ってきて、部屋干しの洗濯物みたいに変なにおいがするのでは？」と思う方がいらっしゃるかもしれません。

どうぞご安心ください。自然な物質の力を借りて、衛生面を万全にしているので、夏の夜、ベランダに湿ったままたたんだ洗濯物のバスケットを置いても、朝までまったく平気なのです。

まず重曹の制菌力。また石けんの、界面活性剤にも、殺菌する力があります。そして、仕上げリンスのビネガー。ビネガー自体に抗菌作用があるうえ、さらに、前にもおすすめしたフィトケミカル入りのビネガー水を使ったならば、殺菌・抗菌力はさらにアップします。

結局、下準備から洗い、すすぎにいたるまで、衣類を自然に清潔に保つ力が、集中して働いているのです。ですから、雑菌が寄ることもないのです。

夜は洗濯してたたむまで。朝は干すだけ。これならどんなに洗濯物が多くても、無理なく、全部の作業を段取りできるのでは？

ぜひ一度やってみてください。

第4章
それぞれの素材（アイテム）を、もっと詳しく知ろう！

自分だけの重曹生活を見つけるためには、
それぞれの素材（アイテム）をよく知ることが必要です。
そして、これらの自然素材を上手に使いこなして、
心も体も気持ちいい暮らしをはじめましょう。

「重曹」について知っておきたいこと

重曹＝きれいの主役

重曹は、海や地中の鉱床、生物の体の中にも存在する弱アルカリのおだやかな天然ミネラルです。

正式な化学用語では「炭酸水素ナトリウム」（$NaHCO_3$）といいます。アメリカなどでは「ベーキングソーダ」と呼ばれていますが、日本では炭酸水素（HCO_3）を重炭酸、ナトリウム（Na）を曹達《ソーダ》とも言いならわしていたことから、両方の頭の字を取って「重曹」と呼ばれるようになりました。

重曹は、巻頭で述べたような中和作用に加え、ほかにもさまざまな用途に使える、安全で便利な性質を合わせ持っています。

主な作用を5つにまとめました。これらの作用をもとに、これまでにアメリカやヨーロッパ、そして日本でも、料理、掃除、衛生、アウトドアなど、さまざまな家事の分野で、数百通りの使い道が考案されています（『魔法の粉　ベーキングソーダ〈重曹〉335の使い方』〈飛鳥新社刊〉でも、さまざまな使い道が紹介されています）。

あなたも、ぜひ覚えて応用範囲を広げ、効果的に使ってください。

1、おだやかな研磨作用
2、弱アルカリの中和作用
3、おだやかなキレート（軟水化）作用
4、広い消臭・吸湿作用
5、自然の発泡・膨張作用

1、おだやかな研磨作用

重曹は、塩よりもやわらかい分子結晶をしているため、とてもソフトなクレンザーのような非常にやさしい研磨作用を持っています。

少し水をつけてみがくと、プラスティックのようなやわらかいものでも、みがくものの表面を傷つけずに、汚れだけを取りのぞいて溶けていきます。

2、弱アルカリの中和作用

重曹は、弱アルカリ性のクッションのような安定した性質を持つため、ほとんどの汚れ、すなわち酸性物質を中和し、水と二酸化炭素を発生させると同時に、相手の物質を水溶性の塩《えん》に変えます。その結果、汚れは簡単に拭きとれる状態になります。

つまり下図のように、酸性物質には必ずあり、各種の酸の本質である、水素イオン（H）と、重曹（$NaHCO_3$）

の中のアルカリの正体である重炭酸イオン（HCO_3）が中和することで、水（H_2O）と二酸化炭素（CO_2）と塩（Na）に分解され、汚れが落ちるわけです。

また、重曹の弱アルカリの性質は、石けんの界面活性剤が働くときに必要となる溶液のアルカリ性を保つために、ソフトで、安定した助剤にもなります。

3、おだやかなキレート（軟水化）作用

重曹には、水の中の金属イオンをはさみこみ、その場にあるのに、ないように封じる「キレート」という働きがあります。

キレートは、水をやわらかくして理想的な「超軟水」の状態に近づけてくれます。

石けんにもキレート作用があるのですが、そのほうが強いことから、重曹のキレート作用を十分に利用しようと思うなら、必ず石けんより先に水に投入し、重曹と水を反応させなくてはなりません。

重曹のキレート作用は投入後ゆっくり始まり、しかも50%程度といわれていますが、キレートされた水は、いわゆる「重曹泉」と呼ばれる無色透明の天然温泉の水質に近いものであり、非常にやわらかく、気持ちのよい軟水になります。

このため重曹を水によく溶かし、その後石けんを加えた溶液では、やっかいのもとである石けんカスが少なく、泡立ちも安定したすぐれた洗浄水が得られます。

また、ごくわずかに重曹を溶き入れた水で、お茶やダシの味がよく出るようになり、入浴剤として用いれば、肌に対してまろやかでスベスベの湯になります。

4、広い消臭・吸湿作用

重曹には、広範囲の悪臭を消す働きがあります。

腐敗臭や体臭など、ほとんどの悪臭は酸性物質であり、右下の模式図と同じ反応によって、中和分解します。

また悪臭の中には、例外的にアルカリ臭と呼ばれるものがあります。

トイレのアンモニア臭、魚のなま臭いにおい、たばこの副流煙などがそうです。

これらのにおいに対しても、重曹は臭い分子を包み込み、抱きかかえるようにして、ある程度消臭する力を持っています。

したがって、家の中のいろいろな場所の消臭に、重曹を用いるのはたいへん効果的だといえます。

5、自然の発泡・膨張作用

重曹は、右下の模式図にあるように、酸と中和するとき、水と二酸化炭素を発生します。その際、二酸化炭素は細かいガスの泡となって空気中に出ていきますので、その性質を利用して、パンを膨らませたりします。

また、その気泡が急激にはじけるときの細かい超音波を利用して、排水口の奥や洗濯機の裏など、人間の手が届かないところの汚れを浮かせることもできます。

さて、このような重曹を重曹生活に使う場合には、必ず、食用グレード以上の重曹を求めてください。

重曹には、主に薬用、食用、工業用の3つのグレードがあります。

薬用グレードは、もっとも純度の基準の厳しいもので、医療に使われます。病院では、点滴ややけどの洗浄に使われるほか、胃薬として処方されたり、患者の体を清拭するのにも使われます。薬用の重曹は、薬局に行くと一箱（500g）300〜400円から手に入れることができます。

食用の重曹（ベーキングソーダ）は、むかしから知られるように、膨らし粉として、洋菓子やまんじゅうなどに使われたり、豆をやわらかく煮るための下準備や、山菜などのアクをとったりするのにも使われてきました。

（＊重曹の別名であるベーキングソーダとよく間違えられるベーキングパウダーは、重曹に粉状の酸を混ぜたものです。パンや天ぷらなどに使ったとき、味よくふっくら仕上がるような、工夫がなされています。重曹生活に使えなくはありませんが、デンプンなども入っているので、100%の重曹よりも使いにくいでしょう）。

このグレードの重曹は、食品添加物として認められる純度を持つうえに、薬用にくらべて割安感があります。

料理、掃除、ボディケア、洗濯など、家事に広くひとつの重曹を使いまわそうと考えている人には、このグレードの重曹がいちばん安心で、経済的でしょう。

スーパーやホームセンター、ドラッグストア、食材専門店などでは、小さな箱に入って「タンサン」という名前で呼ばれたり、比較的大きなボトルやパックに詰められて「ベーキングソーダ」という名前で呼ばれたりしています。

大きめのホームセンター、インターネットショップなどにも、500gあたり200円くらいからあります。

工業用の重曹は、純度の基準がもっともゆるいものです。安く大量に出回っているものを見かけることもありますが、重曹生活全般にはおすすめしません。

ボディケアや料理には使わず、掃除に限って使うなど、目的に合った判断をするようにしてください。

「ビネガー」について知っておきたいこと

使いわけると効果倍増

ビネガー（お酢）は、いろいろな種類の酒を、酢酸菌で発酵させた結果生まれます。

したがって、重曹のように単純な一物質というわけではなく、国や地方によって、とれる作物やできる酒が違うので、いろいろなビネガーが生まれることになります。

日本では、米の酒、すなわち日本酒からつくった米酢が主流です。

米酢は、原料に穀物を使った、穀物酢の一種です。

欧米では、むかしからアップルビネガー（りんご酢）が、美容や健康にたいせつなものとされてきました。またぶどうの酒、すなわちワインからつくったワインビネガーは、ビネガー（すっぱいワイン）の語源でもあります。

このように、果実からつくられるビネガーを、果実酢と呼びます。

また、高濃度の蒸留酒を酢酸菌で急速発酵させた、原料由来の風味をまったく持たない、あっさりした酢のことを、アルコール酢といいます。

これは、主に穀物酢や果実酢の味を整える副材料として使われ、原料のところに「アルコール」、または「醸造用アルコール」と記載されています。

日本では、単独でビン詰めされたものは少し手に入りにくいかもしれません（百貨店や輸入食品店、外資系大型スーパーなどで探してみましょう）。

また、薬局や食材専門店では、酢酸

クエン酸	酒石酸	乳酸、アスコルビン酸	炭酸水	レモン汁
クエン酸（結晶）	酒石酸（結晶）	乳酸（結晶）、アスコルビン酸（結晶）	炭酸ソーダ、クラブソーダなど	レモン果汁100など
100パーセント	100パーセント	100パーセント	——	——
2	2	——	5〜6	2
弱酸	弱酸	強酸	弱酸	——
する	する	する	しない	する
無臭	無臭	無臭	無臭	レモンのにおい
小さじすりきり1杯につき水カップ2分の1でうすめる	小さじすりきり1杯につき水カップ2分の1でうすめる	——	——	——
小さじすりきり1杯につき水カップ1でうすめる	小さじすりきり1杯につき水カップ1でうすめる	——	そのまま用いる	——
目に入らぬよう注意 すぐ水で洗い流す 粉塵を飛散させない 換気に注意 高濃度で皮膚刺激性 長期反復使用で歯を浸食することがある	目に入らぬよう注意 すぐ水で洗い流す 粉塵を飛散させない 換気に注意 高濃度で皮膚・気管腐食性	目に入らぬよう注意 すぐ水で洗い流す 粉塵を飛散させない 換気に注意 高濃度で皮膚・気管刺激性	無害	目に入らぬよう注意 すぐ水で洗い流す
料理・掃除・洗濯・衛生・美容全般に適する （1）特ににおいを立てたくない場合（玄関、ペット、髪や衣類のリンス等） （2）特に酸性物質を残したい場合（水アカ溶解、抗菌等）	料理・掃除・洗濯・衛生・美容全般に適する （1）特ににおいを立てたくない場合（玄関、ペット、髪や衣類のリンス等） （2）特に酸性物質を残したい場合（水アカ溶解、抗菌等）	乳酸：衛生・美容に適する アスコルビン酸：衛生（特に塩素の除去）に適する	掃除・洗濯に適する	料理・衛生（特に塩素の除去）に適する

※その他、酸性の性質をもつ身近な溶液に、ミョウバン水があります（あくぬきなどに使えます）。

※表中の「酸の性質」にある弱酸は、多めに溶いてもほぼpHが一定で変化しませんが、強酸は溶く量が多くなるほど酸度が高まり、刺激性となるので適量を用いるよう十分に注意してください。

などの有機酸を単一の水溶液や結晶の形で取り出したものが手に入ります。30%酢酸水溶液は、合成酢酸のため、料理や美容には向きません。しかし掃除や洗濯などには経済的です。

クエン酸、酒石酸の結晶は、薬局や食材専門店のほかに、デパートの製菓材料売り場などでも手に入ることがあります。

乳酸は、結晶と水溶液の形がありますが、水溶液のほうが比較的手に入りやすいようです。

これらの酸は、単一物質なので、下の表によるそれぞれの特徴をよくふまえ、安全で効果的な使い分けをしてください。

一般的なビネガーの働きには、次のようなものがあります。

具体的な作用を5つの箇条書きにまとめました。重曹の5つの作用と同じように頭に入れて、さまざまな場面で応用してください。

1、浸透・剥離・溶解作用
2、抗菌作用
3、消臭作用
4、リンス作用
5、還元作用

1、浸透・剥離・溶解作用

ビネガーは、それに含まれる水素イオンのおかげで、相手の物質にすばやく浸透したり、はがしたり、溶かしたりする力を持っています。このため、広範囲の拭き掃除に使いやすく、手軽なナチュラルクリーナーとして活躍します。

また、家の中には、水アカ（主に炭酸カルシウムからなる、白くカリカリした結晶）や、トイレの黄ばみ（主にリン酸カルシウムからなる、茶色くかたい結晶）といった、重曹の汚れ落とし効果が及ばない、がんこな結晶性の汚れがいくつかあります。

それらに対しては、濃いめのビネガーをしみこませ、結晶がゆるんだところを力を入れてみがき落とします。

またビネガーは、入浴や洗濯のとき、浴室や衣類に残る石けんカスを溶かし、すっきりきれいにします。

そのほかにもさまざまな物質を溶かし、その性質を引き出す媒体としてすぐれていますので、この性質を利用して、ビネガーにハーブやエッセンシャルオイルの効果を加えて使うことも、たいへんおすすめです。

2、抗菌作用

ビネガーは、微生物の繁殖をおさえてそれ以上増えないようにする「静菌」と呼ばれる働きをもっています。こまめにビネガー水による拭き掃除を行うことで、家の中の衛生状態をかなり改善することができます。

静菌した状態では、菌は活動を中止しただけで死んではいませんが、菌の種類や温度、pHといった条件をととのえれば、ビネガーを使って「殺菌」までできる場合もあります。

ビネガー表『魔法の液体 ビネガー（お酢）278の使い方』より

種類	穀物酢	果実酢	アルコール酢	酢酸
製品の例	穀物酢、米酢、純米酢、玄米酢、黒酢、モルトビネガーなど	アップルビネガー（りんご酢）、ワインビネガー、バルサミコなど	ホワイトビネガー	30パーセント酢酸水溶液（日本薬局方）
酸濃度	4〜5パーセント	5〜6パーセント	5パーセント	30パーセント
pH	3	3	2.5	2.5
酸の性質	弱酸	弱酸	弱酸	弱酸
酸の残留性	しない	しない	しない	しない
におい	風味と刺激臭	風味と刺激臭	刺激臭（弱い）	刺激臭（強い）
ビネガー（酸濃度4〜5パーセント）	そのまま用いる	そのまま用いる	そのまま用いる	水で6倍にうすめる
ビネガー水（酸濃度2パーセント前後）	水で2〜3倍にうすめる	水で3倍にうすめる	水で3倍にうすめる	水で15倍にうすめる
注意事項	目に入らぬよう注意 すぐ水で洗い流す	目に入らぬよう注意 すぐ水で洗い流す	目に入らぬよう注意 すぐ水で洗い流す	目に入らぬよう注意 すぐ水で洗い流す 皮膚・気管腐食性 換気に注意 特に30パーセント酢酸水溶液は劇物厳重注意
適する状況	料理・掃除・洗濯・衛生・美容全般に適する	料理・掃除・洗濯・衛生・美容全般に適する	掃除・洗濯・衛生に適する（料理・美容にはスパイスやハーブ等でもっと有効成分を加味する）	掃除・洗濯に適する

※カップ＝200ml、小さじ＝5ml、大さじ＝15ml

たとえば70℃以上の高温のビネガーは、ほとんどの菌を殺す力があります。

また、塩と同時にビネガーを使うと、タンパク質の変性が激しく、常温でも非常に大きな殺菌効果を持つことが知られています。


このようなビネガーによるカビや細菌に対する広範なコントロール力を、「抗菌作用」と総称します。

3、消臭作用

ビネガーに含まれる水素イオンは、トイレのアンモニア臭、魚の生臭いにおい、タバコの副流煙といった、生活の中で出会うアルカリ性の悪臭を中和します。

また、ビネガーの中でも一般的な食酢の場合、その主成分である酢酸が、常温で揮発する軽い分子であることを利用して、車の中や部屋のリネン、外出時の衣服などについた、さまざまなにおいを、ビネガーといっしょにすばやく飛ばすことができます。

4、リンス作用

ビネガーは、重曹や石けんを使ってお風呂に入ったときなどの、仕上げのリンス剤としてもっとも適しています。重曹は、ビネガーによってすぐに中和されます。

石けんは、水で流しただけでは肌の上に石けん膜をつくって残りますが、少量のビネガーを与えると分解され、油状物質になると考えられます。

この油は、石けんの原料に由来するものであり、質のよい自然な石けんを用いて最後にビネガーリンスすることは、洗うだけで、上々の保湿とコーティングまでができることになります。

またビネガーは、髪やウール、絹など動物性繊維のキューティクルをひきしめる働きがあります。表面保水による帯電防止効果もあります。

洗濯の場合も、ビネガーが仕上げのリンス剤として最適なのは、このためです。

5、還元作用

ビネガーは、それに含まれている水素イオンの働きにより、対象の物質から酸素が出ていくのを手伝います。

これは、広い意味での還元作用であり、この現象を利用して、金属類のサビやくもりといった酸化物の汚れをとることができます（いわゆるサビとり剤のような、還元漂白の急激な作用ではありません）。

またビネガーは、私たちの身体の中のサビ（酸化物）も還元し、体を弱アルカリに保ってくれます。

これは、ビネガーが体内に入ると酸のもとである水素イオンがすばやくエネルギー代謝され、残った有機分子が血液中に出るときは、アルカリ物質の形をとるからです。

「石けん」について知っておきたいこと

重曹のベストフレンド

石けんは、強い酸性物質である油脂に、もっとも強いアルカリ物質（強アルカリ）である苛性ソーダ（水酸化ナトリウム）や苛性カリ（水酸化カリウム）を反応させてつくります。

「鹸化《けんか》」という、油が加水分解をおこして、純石けん分である「アルカリ塩」と「グリセリン」になるプロセスは、むかしから知られていました。

しかし、今と違って、むかしは、木の灰などの数少ない自然物質だけが強アルカリだったので、「鹸化」を安定して行うことは、量の面でも、品質の面でも非常にむずかしいことでした。

石けんは、「苛性ソーダ」や「苛性カリ」といった強アルカリを工業的に生産する手法が確立し、ソーダ産業の基盤ができあがったあとはじめて、今のように工場で大量生産され、簡単に手に入るようになったのです。

加えていうと、ソーダ産業からは、医薬、食品、工業などの方面に、大量の人工重曹が安定した品質で供給されています。

弱い性質とはいえ、重曹も苛性ソーダと同じアルカリの仲間ですから、ひとつの工場設備の中でつくることができるのです。石けんの助剤としてよく配合される炭酸塩も、同じ工場でつくられます。

炭酸塩は、正確には「炭酸ナトリウム」（Na_2CO_3）という、重曹よりもアルカリ度の強いナトリウム化合物の一種です。こちらは危険ということもあって、一般に単独の結晶で見かけることは少ないでしょう。

重曹よりも作用は強いのですが、炭酸塩が配合されている石けんでは、シルクやウールといったデリケートな繊維を洗うことはできません。

さて、できあがった石けんの分子は、下図のように、水になじむ頭の部分（親水性）と、油になじむ胴体の部分（親油性）からできています。水にも油にも溶けるという、二面性を兼ね備えているものを「界面活性剤」といいます。

このダブルの性質のおかげで石けんは、洗浄水にも、落としたい油性の汚れともよくなじみ、両者のあいだに入りこんでいくことができます。

具体的には、下図のように、石けん

分子は汚れの表面に付着して物本体から汚れをひきはがし、浮いたらさらに取り囲んで汚れを細かくし、もう一度、それが洗っているものにくっついたりしないようにします。

なお、石けんがこのように働くためには、石けんの溶けている水が、アルカリ性を保つ必要があります。

現在では、石けん以外の、さまざまな種類の合成洗剤があふれています。

これらの合成洗剤は、石けんではない合成化学物質の界面活性剤を使って汚れ落としを行うものばかりです。

そんななかで、「なぜ、あえて石けんを選ぶ必要があるの？」あるいは、「合成洗剤と石けんを、どうやって見分けたらいいの？」と思う読者がいらっしゃるかもしれません。その答えは、こうなのです。

石けんとは、製品の成分表示に「石けん」「純石けん」「石けん素地」と書いてあるものを指します。

製品の表ラベルに「天然」「ナチュラル」「植物性」といった、いろいろな言葉があるかもしれませんが、チェックするのはそこではなく、製品の裏ラベルにある成分表示の欄です。

液体石けんの場合は、石けん分以外に水が入っています。重曹生活では、上記の成分のほかには合成化学物質がなにも添加されていない石けんを選んでいます（天然の香料や保存料、保湿剤（グリセリン）などは、好みや必要に応じて入っていてよいでしょう）。

重曹には、キレート（軟水化作用）があるので、石けんを使う人のやっかいの種だった石けんカスの問題を軽減し、弱アルカリのクッションによって石けんの働ける条件を守ります。

また反対に石けんは、重曹が分子レベルで一つひとつ、汚れを中和するのと違い、汚れを取り囲む界面活性剤の働きによって、効率的にクリーニングを行います。

このように、石けんと重曹は互いに助け合って相乗効果を持つものなので、このふたつがあれば、ほかの人工的な物質の力に頼らなくても、無理をせずに、気持ちのいい重曹生活が送れるようになります。

さらに、なるべく、いい油を原料に、自然な方法でつくった石けんを使うことをおすすめします。なぜなら石けんは、最終的に、私たちの肌や身につける衣服に残るものだからです。

正確にいうと、石けんをすすぎ終わったあとに残る石けん膜は、ビネガーでリンスすると、分解して肌の表面や衣服の繊維をつつむ油性の保護コートに変わります。

（＊肌のうえに石けん膜がある場合は、ビネガーリンスしなくても、30分～2時間くらいのあいだに、汗に含まれる乳酸などによって分解され、皮脂と同じ種類の脂肪酸に戻ります。この点、洗濯物は汗をかかないので、やはり人の手で、最後にビネガーリンスすることが必要です）。

このとき、最初にどんな油を使ったかが、影響してきます。もっといえば、肌にいい油の石けんを使えば、それだけで美容効果があるということです。

石けん以外の人工的な洗剤では、こういった自然物質の、やさしい相互作用を利用することはできません。

最近は、石けんを自分で手作りするためのレシピも数多く見かけます。

そういった手作り石けんのよいところは、かりに、贅沢な原料を使ったリッチな石けんをつくったとしても、材料費しかかからないので、結局は経済的だということです。

さらに、先に述べた、鹸化によって得られる純石けん分とグリセリンを、そのまま固めて使うことができるという点があげられます。

実はグリセリンは、87ページで述べるように、それ単体でも十分付加価値のあるものなので、工場では石けんといっしょに固めないで、先に抜き取られてしまうことが、ほとんどのようです。

すると、もとの油から得られるはずだった、本来の自然のうるおいの一部は、石けんから失われることになります。石けんを手作りすれば、グリセリンの代わりに保湿剤を配合する必要もありませんし、グリセリンが減ることもありません。

このように、石けんは、重曹とは異なるすぐれた汚れ落とし効果と、重曹にはない、手肌や衣類への保護効果を持っています。

一方、重曹は、純粋な石けんが使いにくかった石けんカスなどの問題を、着実に解消します。

石けんと重曹の両方を使い、相互作用によって両方の使用量が減ることで、重曹生活はとても楽になることでしょう。

「植物化学成分《フィトケミカル》」について知っておきたいこと

重曹生活の質を上げる

「植物化学成分」（フィトケミカル）とは、植物の中に含まれる有効成分のことで、さまざまな薬効が期待されるものです。

これまでの研究から、天然の強い殺菌作用があったり、人の免疫力を強くしたり、ケガの治りを早くしたり、自律神経の調子を整えたりと、植物ごとに多種多様な働きがあることが報告されています。

また近年は、産婦人科などの医療サービス分野や、サプリメントなどの食品開発分野で、フィトケミカルから画期的な化学成分を見つけだそうとする試みが、盛んになってきています。

そんな中、私たちが簡単に、いま注目の、植物の恵みに浴することができる方法があります。

それは、ここまで学んできた重曹生活のあちこちに、ハーブ（薬草）などを取り入れて、日々のお掃除や洗濯、美容やボディケアなどに積極的に使っていくというやり方です。

ひとくちに「ハーブ」と言っても、さまざまな状態で売られています。

重曹生活にハーブを取り入れる際には、エッセンシャルオイル、ドライハーブ、生ハーブの3つのうち、いずれかを選びましょう。

エッセンシャルオイルは、ハーブ植物の有効成分を高濃度に抽出したオイルで、ほんの少量を、油や重曹、ビネガー、アルコールなどに混ぜるだけで、非常に高い効果をもたらします。

また、保存性と輸送性にすぐれているため、たとえばごく限られた季節や場所で得られるような貴重な植物の恵みも、エッセンシャルオイルなら比較的簡単に、私たちの日々の暮らしに加えることができます。

ただし、取り扱いには注意が必要です。オイルのビンは、子どもの手の届かないところに保管し、添加する量を守りましょう。

プラスティックはオイルに触れた部分が変色・変形することがありますので、ガラス製など、耐油性の容器を使いましょう。

ドライハーブは、植物をそのまま乾燥させたものです。レモンの皮やミントの葉など、身近なものもたくさんあります。

乾燥させると、生にくらべて保存に便利なうえ、ハーブティーやハーブビネガーにしたとき、成分の抽出性もよくなります。

生のハーブは、新鮮な植物の、その季節ならではの力を十分に感じることができます。これも、ハーブティーやハーブビネガーにして、成分を取り出します。

ハーブを重曹生活に取り入れる際、もっとも基本的な使い方は、次のようなものです。

まず、1、2カップの粉の重曹に、エッセンシャルオイルを数滴たらします。よくかき混ぜて、重曹全体に香りをつけます。

この重曹は、消臭剤として働くだけでなく、自然のよい香りを放つ、すてきな芳香剤になります。

ペパーミントやヒノキなどの、特に虫がいやがるエッセンシャルオイルを用いれば、部屋やクローゼットの防虫剤にもなります。

洗濯の「洗い」サイクルのとき、ティーツリーの香りをつけた重曹を入れれば、洗濯物と洗濯槽両方の殺菌やカビ防止になりますし、また、ラベンダーやローズなど、お肌に対する美容効果や、心身へのリラクゼーション効果のあるエッセンシャルオイルを重曹に混ぜておいたものは、心地よい入浴剤として使えます。

このように、目的にぴったりのエッセンシャルオイルを選び、重曹をその運び手《キャリヤー》に使えば、いろいろな機能を重曹にプラスすることができます。

ビネガーにハーブの力を与えるには、ハーブビネガーをつくります。

生やドライのハーブを、しっかりビネガーにつかるように入れて数週間おけばできあがりです。

エッセンシャルオイルを用いるなら、2カップのビネガーに1〜5滴加え、よくふって混ぜて使います。

たとえばラベンダーのビネガーは、

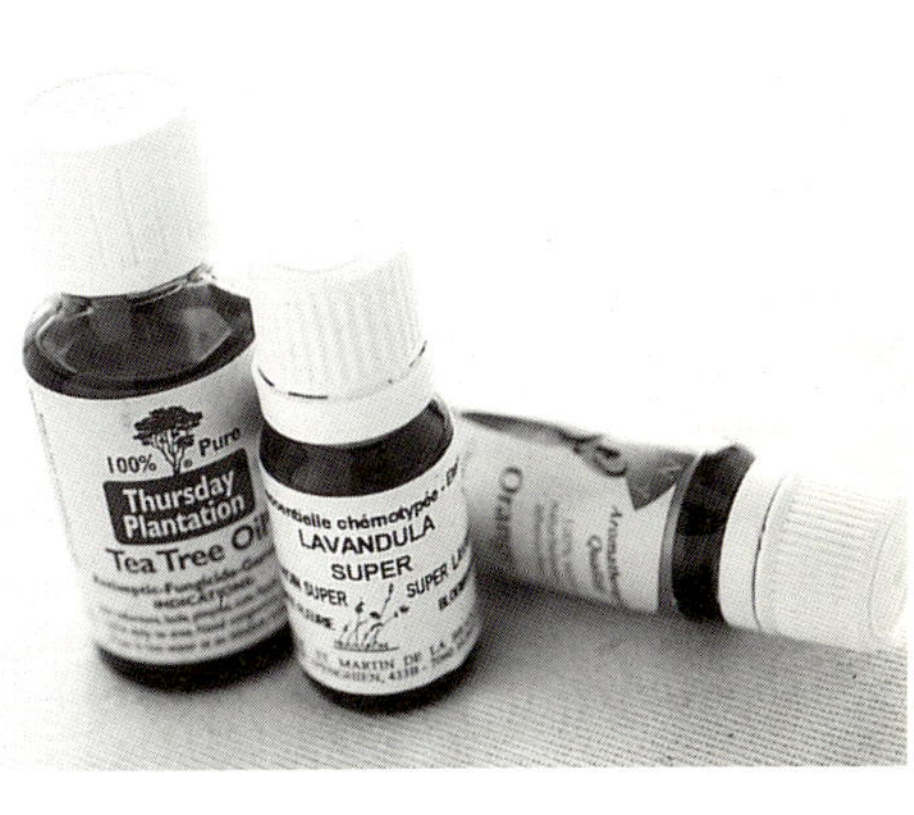

レモン

ラベンダー

ミント

髪や肌の調子を整えるだけでなく、お掃除や洗濯、消臭に役立つ抗菌作用があります。

　ミントビネガーは、料理のドレッシングや、虫よけを兼ねたエアフレッシュナーにもなります。

　レモンビネガーは、さわやかで抗菌効果も高く、キッチンで使うのにぴったりです。また、ダニへの忌避効果もあります。

ハーブの力を石けんに加えることもできます。

　液体石けん1カップに、ラベンダーとティーツリーのエッセンシャルオイルを小さじ1杯ずつ加えたハーブ石けんは、すばらしい抗菌・抗カビ・抗ウイルス効果があります。

　特に風邪の季節には、家族みんなが使うハンドソープにぴったりです。

　そのほか、エッセンシャルオイルをアルコール類（エタノールやグリセリン）で溶き、さらに水でうすめて、スプレーボトルなどに入れて用いる方法もあります。

　たとえば、ティーツリーは非常に殺菌力が強く、口内細菌から水虫菌まで、さまざまな菌に対して効果があることから、マウスウォッシュ、フットスプレーなどに使われます。

　下の表は、環境を考えた、一般的なおすすめエッセンシャルオイルのリストです。

　生やドライのハーブは、オイルほど高濃度ではないので、使う際にあまり神経質にならなくても大丈夫です。ただし、エッセンシャルオイルと同様、表で示した環境にしたがって使用することをおすすめします。

　長年にわたる研究と伝統に支えられたハーブやエッセンシャルの世界は非常に奥深く、知れば知るほど応用しがいのあるものです。

　あなたもぜひ、重曹生活に植物の恵みを活かす、自分なりの工夫を積み重ねていってください。

環境	エッセンシャルオイル
妊娠初期の人と赤ちゃんがいる家庭	オイルの使用はさけてください
2歳以下の子供のいる家庭	カモミール、ラベンダー、マンダリン、ティーツリー、ローズをごく少量、もしくは使用しない
2〜5歳の子供のいる家庭	カモミール、ラベンダー、マンダリン、ティーツリー、ローズ、レモン、グレープフルーツ
一般の家庭	カモミール、ラベンダー、マンダリン、ティーツリー、ローズ、レモン、グレープフルーツ、オレンジ、ベルガモット、マジョラム、ユーカリプタス、シトロネラ、パイン、ペパーミント（日本薬局方のハッカ油でも代用できます）など

『魔法の液体 ビネガー（お酢） 278の使い方』より

「アルコール類」について知っておきたいこと

「エタノール」と「グリセリン」

重曹生活に慣れてきたら、よりきめ細かいテクニックを学びましょう。

そのひとつに、自然素材であるアルコール類の取り入れ方があります。

アルコール類には、エタノールとグリセリンがありますが、どちらも薬局ですぐ手に入れることができます。

エタノールは、無水エタノールか消毒用エタノールを求めましょう。

消毒用エタノールは、水でうすめられています。

グリセリンは、グリセリンを84〜87％含む「日本薬局方グリセリン」が、ごく一般的に手に入ります。

エタノールとグリセリンには、いずれも、油を溶かす性質と同時に、水にも溶ける性質がありますので、さきほどの石けん分子ほどではありませんが、弱い界面活性を持っています。

この性質を利用して、どちらの物質も汚れ落としに使用できます。

さらに、エタノールには、安全ですぐれた殺菌力が、グリセリンには自然の強い保湿性がありますので、それぞれの特性をふまえて応用方法を考えていくと、重曹生活の幅がぐっと広がります。

まずエタノールは、ふだん使っているビネガーより、もう一歩強力な作用が欲しいときに使うとよいでしょう。

エタノールは、ビネガーよりも浸透・剥離《はくり》・溶解作用がいちだんと強く、工業分野でりっぱに「溶剤」として使われているほどです。

たとえば、ベタベタしてなかなか落ちない石油系の糊を使ったシール類に、重曹でもビネガーでもてこずるときは、エタノールを使ってみましょう。

エッセンシャルオイルをエタノールで完全に溶き、水でうすめた溶液には、オイルの力をまんべんなく行きわたらせることができます。

これも、ローション作りなどに便利な、エタノールの、溶剤としての働きです。

また、ビネガーの抗菌作用を利用した日頃の手軽な衛生対策にくらべ、60％以上の濃度のエタノールには、広範な雑菌に対するすばやい殺菌力があります（それ以下の場合は、ビネガーと同じ静菌作用にとどまる）。

特に80％以上の濃度の場合は、風邪などのウイルスも殺す力を持ちます。

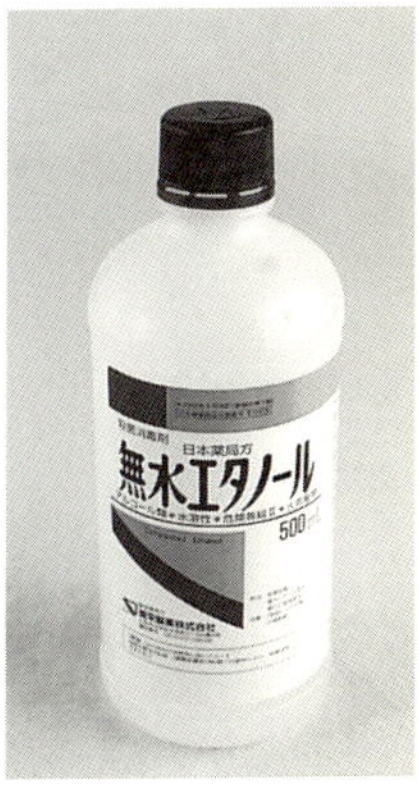

ただし揮発性が強く、人によってはエタノールを吸って頭痛がしたり、手指の乾燥が激しくなる場合があります。

もっとも注意しなくてはならないのは、取り扱い方です。エタノールは可燃性なので、換気に注意し、絶対に火気には近づけないようにしましょう。

たとえば、ふだんは、ビネガーでこまめに拭き掃除しているとします。

でも、梅雨のカビや食中毒が気になるとき、あるいは赤ちゃんの身のまわりや、家族の具合が悪いときなど、暮らしの要所要所でエタノールが必要になったとき、その特性をわかっているあなたが、きちんと扱いに注意しながら、家の中の消毒作業をしっかりと行いましょう。

いざというとき、重曹生活をわきから支えてくれるエタノール。ナチュラルなのに、よりパワフルだから、心強い味方になってくれます。

いっぽうのグリセリンは、私たちの体の中にもたくわえられているエネルギー源のひとつで、口にしても安全で、甘い感じのする、無色透明のトロリとした液体です。

保湿性・吸湿性・潤滑性にすぐれ、軟膏などの医薬品や、クリーム・ローションなどの化粧品に広く使われています。

手肌のあかぎれやくちびるのひびに、うすく塗布するとうるおい、治りを早めます。

このグリセリンのおだやかな性質を活かして衣類のしみ抜きができます。

油性の汚れも、水性の汚れも、グリセリンといっしょに繊維の奥からツルリとすべり出すというわけです。

また、重曹と混ぜたグリセリンのクリームは、しみ抜きだけでなく、歯みがきにも使えます（37ページ参照）。

ハーブビネガーにグリセリンを少し添加して、保湿性を高めることもできます。これはハーブビネガーを髪や肌、衣類のリンスに使うときのしっとり感を高めるための、すばらしいテクニックです。

さきほどの、エッセンシャルオイルをエタノールと水で溶いた溶液を、しっとりローションに仕上げたいときにも役に立ちます。

また、グリセリンにオキシドール（88ページ参照）を加えた溶液は、耳のそうじやひびわれなどの手あて、ニキビの消毒などにも、使いやすいものです。

「酸素系漂白剤」について知っておきたいこと

酸素の力で汚れを破壊

もうひとつ、重曹生活に取り入れると、いざというとき役に立つものに、酸素系漂白剤があります。

大きめの薬局やホームセンターに置いてあるほか、生協の通販や、ネットショップなどで、買い求めることができます。

「100％過炭酸ナトリウム」と成分表示のあるものを、手に入れてください。

酸素系漂白剤は、比較的大きめの粒の白い粉状物質で、水に入れると、だんだん溶け、シュワシュワ泡を発生します。

この泡が酸素系漂白剤の力の正体、酸素です。

酸素系漂白剤は、「炭酸ナトリウム」(Na_2CO_3)と「過酸化水素」(H_2O_2)の化合物です。炭酸ナトリウムは、83ページの、石けんの項で出てきましたね。

洗濯の際の助剤にもなっている、重曹よりも強いアルカリのナトリウム塩です。

過酸化水素は、「水」(H_2O)にもうひとつ、よぶんな酸素がくっついたものです。このよぶんな酸素は非常に不安定で、すぐにでも何かの物質にとりついて安定しようとする性質を持っています。

このような酸素のことを活性酸素と呼びます。

活性酸素が衣類のしみの色素にとりつくと、しみは分解され、バラバラに壊れて色を失います。

細菌やカビにとりつくと、細胞膜や細胞質を酸化し、死滅させます。

酸素系漂白剤が、いつも殺菌と同時に漂白を行うのは、このようにミクロのレベルでは、殺菌と漂白は目標物が異なるだけで、同じ活性酸素の攻撃力によって行われているからです。

(＊注意！　くれぐれも「塩素系漂白剤」と混同しないでください。重曹生活においては、塩素系漂白剤の使用をおすすめしません。

塩素系漂白剤も、活性酸素による酸化力を使ったさらに強力な殺菌・漂白剤ですが、うっかり酸と混ぜると、非常に危険な塩素ガスが発生するため、たいへんな事故を起こす可能性があります。手肌へのぬるぬる感やダメージが大きいこと、カルキの消毒臭がすることなどもあります。

このようなことから、家庭では、酸化による殺菌・漂白を可能にする酸素系漂白剤があれば、塩素系漂白剤は必ずしも日常的に必要ないと考えます)

酸素系漂白剤をキッチンの衛生に使うときは、重曹と混ぜて殺菌ペーストにしたり(35ページ参照)、水1リットルあたり大さじ2分の1の酸素系漂白剤を溶いた溶液に、30分前後、ふきんやまな板、食器をつけて殺菌します。

洗濯に使うときは、まず通常の洗濯コースを終えてから、しみや黄ばみ、カビなどがある衣類だけを選んで、少量の水で右の濃度にした酸素系漂白剤の溶液にひたします。

これは、汗や皮脂などの汚れがほかに残っていると、活性酸素はそちらを分解するほうに使われてしまい、肝心のしみや黄ばみ、カビを分解する力が弱くなるからです。

洗濯物全体のくすみや黄ばみを取りたい場合は、最初から水30リットルあたり、大さじ2杯の酸素系漂白剤を加えた石けん水で洗濯します。ただし、この場合、主に働くのは炭酸ナトリウムの石けんの助剤としての作用です。

重曹と石けんによる洗濯方法をマスターしていれば、この方法はほとんど必要なくなります。

酸素系漂白剤が手に入らないとき、あるいはもっと手軽に過酸化水素の力を利用したいときは、薬局でオキシドールを求めるといいでしょう。

オキシドールは、水に3％の過酸化水素が溶けた溶液で、炭酸ナトリウムを含んでいないので、人の身体に使えます。

むかしからどこの家庭の薬箱の中にもあり、一般的な傷口の殺菌や、耳鼻咽喉の消毒・洗浄に使われています。

活性酸素の力だけなら、オキシドールを使えばよいということです。オキシドールは原液のまま使用して、キッチンの消毒やしみの漂白を行います。

ただし、酸素が飛んでいってしまうのが非常に早いので、即効性はありますが、漂白力の持続性という点や、大量の洗濯物などには向かないという点を覚えておきましょう。

オキシドールは、グリセリンに溶いて、耳そうじやひびわれなどの手あて、ニキビの消毒などにも使えます。

重曹生活のその先に……

「水」について知っておきたいこと

これまでお話ししてきた重曹生活のコツは、そのうちの半分近くが水に関係するものだったということに、お気づきでしょうか。

なぜ、洗濯槽に重曹を入れるのでしょう。なぜ、お風呂あがりにビネガー水をまくのでしょう。

それは、先にお伝えしたように、やっかいな石けんカスや水アカの問題をできるだけ軽減するためでした。

でも、考えてみると、石けんカスや水アカは、石けんが悪いのでもバスルームが悪いのでもありません。

水が石けんと出会えば、必ず石けんカスが発生し、水がバスルームで乾けば、そこに必ず水アカが発生します。本当に影響を与えているのは水、それも、水の中に含まれるミネラル分です。

その影響をできるだけ減らすために、重曹やビネガーをこまめに家事に使うのが、重曹生活のひとつのポイントです。ところで、ミネラルの含有量を示すバロメーターとして、「軟水」「硬水」という言葉があります。

まず現在、ミネラルをまったく含まない水というのは、どういった分野で必要とされているでしょうか。

コンタクトレンズの保存と洗浄に使われる精製水は、もっとも身近に見かける「ミネラルを排除した水」です。

通常の水道水でコンタクトレンズの手入れを続けていると、レンズにくもりやにごりが生じてくる可能性が高く、この原因はやはり水道水中のミネラルにあります。

赤ちゃんの粉ミルクを溶く水も、水道水ではなく、「粉ミルク用の水」がボトルで販売されています。

粉ミルクは通常の水で溶くと、水の中のミネラル分がミルクの成分と結合して、うまく溶けきりません。

「粉ミルク用の水」もミネラルを取りのぞき、赤ちゃんがおいしく吸収しやすいように整えた水です。

それでも日本は軟水の国といわれ、平均硬度60（100以下が軟水）の、そこそこやわらかい水がふんだんに使える、世界でもめずらしい、水に恵まれた国です。

その国に住む私たちでさえ、長く暮らしていれば、だんだん水アカや石けんカスに悩まされ、「めんどうだなあ」と思ってしまうのです。

先に述べたコンタクトレンズのような医療分野、粉ミルクのような特殊栄養分野をはじめ、水に対する繊細な配慮が必要な専門の世界では、これまでどれだけ多くの努力が、水のミネラルの影響を減らすために払われてきたでしょう。

また、海外に目を転じれば、地球上のほとんどの地域は、ミネラル分の多い硬水で生活しています。ごくわずかに、日本のような軟水の地域もありますが、多くは洗面所や浴槽に真っ白な水アカが固まって盛り上がるような、水をふんだんに使った生活をしづらい土地です。

19世紀に活躍した現代看護の偉大な先駆者ナイチンゲールは、著書『看護覚え書』（現代社刊）の中、「からだの清潔」という章で、このように述べています。

「お茶や飲み物を作ったり、野菜を煮《に》たり、また薬剤を溶《と》き混ぜたりするときには、必ず軟水または濾過《ろか》水を用いること。これはきわめて重要なことである……」

ナイチンゲールは、クリミア戦争（1854～1856）のとき、傷を悪化させ、命を落とす兵士の数を、劇的に減らしました。そのときに多くの命を守るカギとなったのは、なんでもない「生活」の改善でした。

家の中の衛生や身体を清潔にすること、下着、寝具、換気、栄養といった、だれも気づかなかったあたりまえのことに、本質的な配慮を行った人です。

そのナイチンゲールが、硬水の環境に身を置きながら、軟水が生命を健やかに守るためにどれだけ大事であるか、命の世話をする人は、なんとしても軟水を手にいれなさいと述べているのです。

重曹を手にし、あるいはビネガーを手にして家事に使う水と向き合うということは、実に、生活水の99％と向き合うということです。

そこをコントロールし、これまでとは違った、未来につながっていく自然生活を送るということには、単に、楽になったり手抜きができたりといった現実的なメリットだけがあるわけではありません。

その先に「生活の質」を高め、ちょっとやそっとではしおれない、真にしなやかな「命の力」を手に入れるという、驚くべきゴールが隠れていることに、気づくことができるでしょう。

あとがき

「今、ヨゴレ落ちてます！　すごいです！　今日から私たち、ジュウソイストになりまーす！」

携帯が鳴って、写真つきメールが届きました。このメッセージは、重曹で家中の汚れ落としに挑戦した、若いママさん編集者からの実況中継でした。

「ん!?　ジュウソイスト？　もしかしたら重曹を使う人のこと？」

そのメールをいただいてから、折にふれ、この造語をまわりの重曹を使っている人に話してみると、みんないっぺんで気に入ってしまうのです。

「わあ、その呼び方ステキ！　ジュウソイストってきっと、重曹を優雅に使いこなす人のことなんですね、バイオリニストがバイオリンを美しく奏でるみたいに。私もそうなれたらウレシイなあ」

こうして、私のまわりでは「ジュウソイスト」という言葉が、次第に使われるようになりました。

今ではもう少し意味が広がり、ジュウソイストとは「重曹を含めた自然素材を、その場合に応じて適切に組み合わせ、地球と同じ原理で浄化する、未来的でスマートな自然生活を送る人」と、とらえるようになっています。

この本を読んでくださった多くの方々が、新しいジュウソイストになってくだされば、こんなに嬉しいことはありません。

いつもながら刊行にあたり、私と私を含むクリーン・プラネット・プロジェクト（ＣＰＰ）のメンバーを温かく支えてくださった飛鳥新社の島口典子さんを始め、この本にかかわってくださったすべての方たちに、心からの感謝を申し上げます。

また、日本の家庭の事情に即した目からウロコなたくさんの知恵と工夫を、熱心に研究してくださるＣＰＰのボランティアスタッフのみなさんにも深く感謝いたします。とりわけ、本書にお力添えくださったお二人を紹介させていただきます。

「ｓｈｕｓさん」——出産間近のたいへんな時期に、ジュウソイストとしてのふだんのいろんな家事の動作を、あらためて真剣に見直してくれました。

「のんちゃん」——ご主人と二人のかわいい〝汚し屋さん〟との毎日を、楽チンにスピーディーに乗り切る驚きの工夫を教えてくれました。

そのほかの、ここにクレジットしなかったＣＰＰメンバーも、日々の活動の中から本書の誕生を温かく支えてくれました。

そして「地球に優しいお掃除」サイトに集ってくださる、まだ見ぬ、たくさんのジュウソイストさんたちへ。みなさんのおかげで、今日もまたサイトの電子掲示板では、地球にやさしい〝知恵の樹〟が、少しずつ成長を続けています。ほんとうにありがとうございます。これからもともに息合わせ、次の世界のドアを開いていきましょう。

岩尾明子

索引

重曹などの主な入手先

●重曹（ベーキングソーダ）の主な入手先

★薬用グレードの重曹

国内の各種製薬メーカーが供給しており、全国の薬局で手に入ります。「重曹」または「炭酸水素ナトリウム」と言ってお求めください。店頭にない場合は注文を受け付けてもらいましょう。1～2週間で取り寄せられます。500g入りで300～400円くらいです。

★食用グレードの重曹

国内の各種化学メーカーが供給しており、全国のスーパー、ホームセンター、薬局などで手に入ります。製品には「ベーキングソーダ」「重曹」の呼称がよく使われます。原材料が天然のベーキングソーダの場合は海外で採掘し、日本に輸入されています。国内では、重曹は人工的に製造されています。

◇重曹を取り扱っている主なメーカー

・カネボウ【電話 03-5446-3210】
・旭硝子【電話 0120-8349-13】
・太陽油脂株式会社【電話 045-441-4953】

◇重曹を取り扱っている主なお店

・東急ハンズ新宿店【電話 03-5361-3111】
・東急ハンズ心斎橋店【電話 06-6243-3111】
・東急ハンズ三宮店【電話 078-321-6161】

◇インターネットでの主な取り扱い先

・地球に優しいお掃除
http://www.cleanplanet.info/
・お風呂の愉しみネットストア
http://jfish.jp

●ビネガー（酢）の主な入手先

ビネガー、クエン酸、酒石酸は、全国のスーパー、デパート、食材専門店、生協、薬局などで手に入れることができます。直接、問い合わせてみてください。

●無添加液体石けんの主な入手先

自然食品店、ホームセンター、生協などで手に入れることができます。

◇無添加液体石けんを取り扱っている主なメーカー

・太陽油脂株式会社【電話 045-441-4953】

◇インターネットでの主な取り扱い先

・地球に優しいお掃除
http://www.cleanplanet.info/
・お風呂の愉しみネットストア
http://jfish.jp

●エッセンシャルオイルの主な入手先

自然食品店やハーブショップなどの専門店で手に入れることができます。

◇インターネットでの主な取り扱い先

・地球に優しいお掃除
http://www.cleanplanet.info/
・お風呂の愉しみネットストア
http://jfish.jp

●酸素系漂白剤の主な入手先

大きめの薬局やホームセンターに置いてあるほか、生協の通販やネットショップなどでも買い求めることができます。

・太陽油脂株式会社【電話 045-441-4953】

◇インターネットでの主な取り扱い先

・地球に優しいお掃除
http://www.cleanplanet.info/
・お風呂の愉しみネットストア
http://jfish.jp

協力店リスト

私の部屋 自由が丘店
東京都目黒区自由が丘 2-9-4　吉田ビル 1F【電話 03-3724-8021】

キャトル・セゾン・トキオ
東京都目黒区自由が丘 2-9-3【電話 03-3725-8590】

リビング・モティーフ
東京都港区六本木 5-17-1 AXISビル 1，2F【電話 03-3587-2784】

アイ・スタイラーズ南青山本店
東京都港区南青山 4-23-10【電話 03-5464-0511】

岩尾明子（いわお あきこ）

1998年に始まったインターネットのサイト「地球に優しいお掃除」を運営するボランティア組織、クリーン・プラネット・プロジェクトのリーダー。このサイトが生まれるきっかけとなった翻訳書『天使《エンジェル》は清《すが》しき家に舞い降りる』カレン・ローガン／佐光紀子訳（集英社）の出版に携わったほか、ヴィッキー・ランスキー著『魔法の粉　ベーキングソーダ（重曹）335の使い方』（飛鳥新社）の翻訳をプロデュース。この本は、重曹ブームのきっかけを作った。さらに同じ著者による『魔法の液体　ビネガー（お酢）278の使い方』（飛鳥新社）の編著、翻訳プロデュースにも携わる。また、この本で取り上げた食用の重曹を含む、各種食品の専門知識や検査・コーディネートの技術を持つ「食」の専門家、「フードスペシャリスト」でもある。

●クリーン・プラネット・プロジェクト主催「地球に優しいお掃除」
http://www.cleanplanet.info/

ブックデザイン……守先　正＋桐畑恭子
カバー、本文イラスト……大高郁子
撮　影……中川真理子（p18～21、24～31、34～39、42～49、51～53、55～59、63～75）
　　　　　森　隆志（p16、17、22、23、32、33、40、41、50、54、60、61、62）
スタイリング……小澤典代（p16、17、22、23、32、33、40、41、50、54、60、61、62）
スタイリスト助手……四分一亜紀
モデル……柴山扇恵子
撮影協力……井手　綾

〈参考文献〉
『天使《エンジェル》は清《すが》しき家に舞い降りる』カレン・ローガン／佐光紀子訳（集英社）
『魔法の粉　ベーキングソーダ（重曹）335の使い方』ヴィッキー・ランスキー／クリーン・プラネット・プロジェクト訳（飛鳥新社）
『魔法の液体　ビネガー（お酢）278の使い方』ヴィッキー・ランスキー／クリーン・プラネット・プロジェクト編著訳（飛鳥新社）
『オリーブ石けん、マルセイユ石けんを作る』前田京子（飛鳥新社）

重曹生活のススメ

2004年12月24日　第1刷
2005年10月1日　第11刷

著　者　岩尾明子
発行者　土井尚道
発行所　株式会社飛鳥新社
東京都千代田区神田神保町3-10
神田第3アメレックスビル
電話（営業）03-3263-7770
　　（編集）03-3263-7773
郵便番号 101-0051
http://www.asukashinsha.co.jp

印刷・製本　日経印刷株式会社

万一、落丁乱丁の場合は、お取り替えいたします。
ISBN4-87031-647-1